Alberto Vázquez-Figueroa

PLAZA & JANES

Alberto
Vázquez-Figueroa

Cienfuegos III
Azabache

PLAZA & JANES EDITORES, S. A.

Diseño de la portada: Método, S. L.

Quinta edición en esta colección: noviembre, 1996
(Primera con esta portada)

Editado por Plaza & Janés Editores, S. A.
Enric Granados, 86-88. 08008 Barcelona

Printed in Spain – Impreso en España

ISBN: 84-01-49069-3 (col. Jet)
ISBN: 84-01-49403-6 (vol. 69/23)
Depósito legal: B. 42.271 - 1996

Impreso en Romanyà Valls, S. A.
Verdaguer, 1. Capellades (Barcelona)

L 49403A

—¿Por qué estás tan sucio?

—No es que esté sucio... —fue la desconcertante respuesta—. Es que soy negra.

—¿Negra? —se asombró *Cienfuegos* incapaz de aceptar lo que acababa de oír—. ¿Pretendes hacerme creer que eres una mujer y además negra?

—Exactamente.

El canario estudió con detenimiento el corto, áspero y ensortijado cabello; los enormes y oscuros ojos muy brillantes; los gruesos labios que servían de marco a unos enormes dientes de un blanco que casi hería a la vista; el delgado y musculoso cuerpo de imprecisas formas que se ocultaba apenas bajo una especie de descolorida camisa hecha jirones, y por último agitó la cabeza con evidente desconcierto:

—Jamás imaginé que existiera una mujer negra —señaló—. Me habían contado que en África existían negros, pero nadie mencionó nunca nada sobre negras.

—Tú debes ser bastante bruto —fue la sincera respuesta de la muchacha que había tomado asiento al borde del catre—. ¿Cómo diablos suponías que podían existir negros sin negras que los trajeran al mundo? ¡Es lo lógico!

—No tan lógico... —le hizo notar el gomero con naturalidad—. Yo siempre fui pastor, y entre mis cabras, que solían ser grises, blancas o pardas, nacía de vez en cuando una negra sin que nadie supiera la razón. Lo mismo ocurre con los conejos, los perros, las ovejas, e incluso las vacas. Hay muchos toros negros, pero muy pocas vacas negras. Supuse que en África ocurriría lo mismo.

—¡Pues ya ves que no es así! —replicó la muchacha molesta o impaciente—. Yo soy negra, mis padres eran negros y mis abuelos retintos... ¿Alguna objeción?

—¿Por qué había de tenerla? —se sorprendió el canario—. Cada cual escoge el color de piel que más le gusta. Y el tuyo es más sufrido; se ensucia menos.

La otra le observó un tanto amoscada puesto que se sentía incapaz de discernir si se estaba enfrentando a un auténtico estúpido, o a alguien que intentaba tomarle el pelo, para señalar al fin desabridamente:

—Me da la impresión de que el sol te ha secado el cerebro. ¿Qué hacías en medio del mar en una miserable canoa, sin agua y sin comida?

—El náufrago... —fue la respuesta—. ¿Qué otra cosa querías que hiciera?

La muchacha no pudo evitar ahora una leve sonrisa, y cambiando el tono, sentenció:

—Será mejor que empecemos otra vez desde el principio...: tú estás aquí tumbado, inconsciente, y yo te cuido. Abres los ojos, me miras y te pregunto: ¿Cómo te encuentras? En ese momento, en lugar de responder, «¿Por qué estás tan sucia?», deberías decir: Bien... O mal... O contento de estar vivo...

—Estoy mal, pero contento de estar vivo.

—¿Cómo te llamas?

—*Cienfuegos*... ¿Y tú?

—Azava-Ulué-Ché-Ganvié. Pero todos me llaman *Azabache*. ¿De dónde eres?

—De La Gomera.

—¿Dónde está eso?

—En las islas Canarias.

—¿Eres español? ¿De los que navegan con el Almirante Colón? —Ante el mudo gesto de asentimiento, la negra afirmó repetidamente con la cabeza—. Al *Capitán Eu* le gustará la noticia —dijo—. Anda como loco buscando algún rastro de las naves de Colón.

—¿Quién es el *Capitán Eu*? —quiso saber el canario.

—Mi amo: Euclides Boteiro, capitán del *Sao Bento*.

—¿Tu amo? —se asombró el otro.

—Pagó un barril de ron por mí —añadió la africana

con un cierto orgullo en la voz—. Jamás se había pagado tanto por una chica de mi pueblo.

—¿Pretendes hacerme creer que eres esclava...? —Ante el leve gesto de asentimiento, el pelirrojo recorrió con la vista la estrecha y sucia camareta que hedía a brea, sudor y orines, e inquirió—: ¿Quiere eso decir que éste es uno de esos barcos portugueses que bajan a las costas de África a cazar esclavos?

—Lo era. —*Azabache* parecía muy segura de lo que decía—. Ahora yo soy la única negra a bordo... —Sonrió divertida—. El *Sao Bento* ya no se dedica a cazar esclavos, sino a pescar náufragos al otro lado del «Océano Tenebroso». —Hizo una corta pausa y extendiendo la mano, le acarició la hirsuta barba con un simpático ademán amistoso—: ¡Cuéntame cómo has llegado hasta aquí! —pidió.

—Es una historia muy larga.

—Tenemos tiempo, puesto que creen que aún duermes. —Le apretó con un dedo la punta de la nariz y bajó mucho la voz—. Y más vale que me lo cuentes antes a mí que al Capitán. Yo te aconsejaré lo que debes decirle y lo que no, porque si no le gusta tu historia te hará colgar del palo mayor.

—¿Colgarme? —repitió *Cienfuegos* irguiéndose hasta quedar semisentado en la estrecha litera—. ¿Por qué diablos iba a querer colgarme? Yo no he hecho nada.

—Al *Capitán Eu* le gusta colgar a la gente... —fue la sencilla respuesta carente de todo dramatismo—. Es su única diversión a bordo, y ya lo ha hecho con cuatro en este viaje. El último aún se pudre en la cruceta.

—¡Pero bueno...! —se lamentó desalentado el cabrero—. Escapo de un salvaje que me quiere cortar la cabeza, y caigo en manos de otro que me quiere colgar. ¡Perra suerte la mía! ¿Qué clase de bestia es esa que ahorca a la gente por diversión?

—El borracho más astuto que he conocido. Y el más gordo. Y sucio. ¡Un asco! A veces me obliga a sentarme en su butaca, se arrodilla metiendo la cabeza entre mis muslos, y se pone a gruñir y a rezongar durante horas.

Parece un cerdo intentando comerse una trufa demasiado profunda.

—¡Qué horror! ¿Y tú qué haces?

—Despiojarle.

—¿Cómo has dicho...? —inquirió el canario temiendo haber oído mal—. ¿Despiojarle?

Azabache asintió con un leve encogimiento de hombros:

—No siempre lo consigo —replicó con naturalidad— porque a veces no me deja que le quite la gorra. El muy puerco no se la quita ni para dormir. —Le tiró de la barba—. Olvídate del Capitán que ya tendrás tiempo de conocerle y cuéntame tu historia. Recuerda que te juegas el gañote...

Cienfuegos estudió detenidamente el extraño espécimen humano que se había cruzado en su camino, y aunque le costaba un gran esfuerzo hacerse a la idea de que se trataba de una mujer negra, puesto que continuaba pareciéndole tan sólo un escuálido grumete demasiado sucio, llegó a la conclusión de que mostraba un sincero interés por protegerle, por lo que dedicó la siguiente hora a hacerle un somero recuento de las mil vicisitudes que le habían acaecido desde el malhadado día en que tuvo la pésima ocurrencia de colarse; como polizón, en la nao capitana del Almirante Colón, allá en La Gomera.

—¡Diantres! —no pudo por menos que exclamar *Azabache* al finalizar el relato—. ¡Y yo que creía haber pasado calamidades...! ¡Qué vida tan perra!

—No lo sabes tú bien —se lamentó el isleño—. Y por lo visto mi suerte no ha cambiado. ¿Por qué tiene tu Capitán tanta afición a ahorcar a la gente?

—Desconfía de todos... —musitó la negra en voz muy baja—. El *Sao Bento* ha sido enviado por el Rey de Portugal para intentar averiguar el derrotero de los navíos españoles hacia Cipango y el Catay, parece ser que eso está en contra de un acuerdo firmado entre los dos países, y de ahí el secreto. Hay varios españoles renegados a bordo, algunos que incluso acompañaron a Colón en su primer viaje, pero nunca se sabe si están a favor o en contra. *Eu* los necesita, pero no se fía de ellos.

—Tal vez conozca a alguna... —apuntó el gomero—. ¿Sabes si me han reconocido?

—¿Reconocerte? —se asombró *Azabache*—. Cuando te subieron a bordo parecías un pollo desplumado... —Meditó unos instantes y, por último, señaló convencida—: No creo que sea buena idea que le cuentes al gordo todo lo que sabes, pero tampoco lo es que finjas que no sabes nada. Si te considera una boca inútil, te echará a los peces... Si quieres vivir el mayor tiempo posible, lo mejor que puedes hacer es convencerle de que conoces la ruta hacia la Corte del Gran Kan.

—¡Pero eso es absurdo! —protestó el canario—. No existe tal ruta. Por aquí no hay más que un conjunto de islas e islotes poblados por salvajes que jamás han oído hablar del Gran Kan.

—Cuéntale eso al Capitán, y a las dos horas estarás muerto —sentenció la negra—. Se librará de ti y pondrá proa a Lisboa, a apuntarse la gloria de confirmar que el camino más corto hacia Cipango tiene que seguir siendo África como asegura Vasco de Gama...

—¡Sabes muchas cosas! —se maravilló *Cienfuegos*—. ¿Quién te las ha enseñado?

—La necesidad —le hizo notar ella—. Llevo cuatro años sin poner pie en tierra, y he aprendido a tener las orejas abiertas y la boca cerrada. Ya hablo español y portugués mejor que el dahomeyano, y si no me espabilara hace tiempo que estaría en las tripas de los tiburones o pasando de mano en mano por toda la tripulación. —Se puso en pie—. Y ahora debo irme; es la hora de cenar del gordo. Le diré que continúas inconsciente pero dedica la noche a pensar en cuanto te he dicho, —le tiró con afecto de la barba—. Tal vez consigamos ayudarnos mutuamente. Estoy hasta los rizos de este sucio barco.

Abandonó la diminuta estancia cerrando a sus espaldas, y el gomero *Cienfuegos* permaneció tumbado cara a las carcomidas tablas del techo, meditando sobre su difícil situación.

Una vez más tenía problemas.

Una vez más se encontraba metido en un embrollo, y tras mucho darle vueltas llegó a la conclusión de que negros y portugueses era cuanto necesitaba para acabar de complicar su ya de por sí azarosa existencia.

No había bastado al parecer con los feroces caníbales que pretendían devorarle, los salvajes guerreros que arrasaban a sangre y fuego el «Fuerte de la Natividad», las sucias trapacerías de un ambicioso Almirante, las maldades de un grupo de desertores españoles, los celos de un «indio» marica, o el desmedido apetito de unos tristes «lagartos» convertidos en gigantescos caimanes... Por si todo ello fuera poco, se les añadía ahora una negra loca y unos «espías» portugueses mitad traficantes de esclavos, mitad piratas.

—¡Voy progresando! —admitió—. Ahora tan sólo me enfrento a un piojoso gordinflón al que le divierte ahorcar a la gente.

Pero al día siguiente pudo comprobar que «el piojoso gordinflón» era en verdad mucho más peligroso que la mayoría de los enemigos a que se hubiera tenido que enfrentar hasta el presente, puesto que tras su bonachona apariencia de marrano satisfecho, ocultaba un retorcido espíritu y una aguzada inteligencia que parecía ir siempre diez pasos por delante de su interlocutor.

—¡Vaya, vaya, vaya...! —fue lo primero que dijo en una mezcla de español, portugués y gallego que sonaba falsamente amistoso—. ¡De modo que aquí tenemos a un cangrejito resucitado! ¿Cómo te encuentras, hijo?

—Jodido.

—¡Lógico! Eso de andar a la deriva no es bueno para la salud... ¿Adónde ibas?

—En busca del Gran Kan.

Un leve chisporroteo en los diminutos ojillos color de mar del Capitán Euclides Boteiro evidenciaron que el tema le interesaba vivamente, aunque no por ello movió un solo músculo.

—En busca del Gran Kan... —repitió con estudiada parsimonia—. Difícil empeño para intentarlo en una simple canoa.

—Visto el resultado, sí —admitió *Cienfuegos.*

La respuesta, por lo simple, pareció tener la virtud de desconcertar al portugués por unas décimas de segundo, pero, casi de inmediato, inquirió aparentando no darle demasiada importancia al tema:

—¿Y qué te hizo creer que podrías conseguirlo?

—Rumores.

—¿Rumores...? ¿Qué clase de rumores?

—Lo que cuentan los salvajes: hablan de un señor muy poderoso, grandes ciudades con techos de oro, y bosques inmensos de árboles de la canela.

El voluminoso trasero del *Capitán Eu* se agitó inquieto en el amplio butacón de su hediondo camarote, al tiempo que aprovechaba para rascarse groseramente la entrepierna en la que destacaba, a través del amplio pantalón, un inmenso testículo del tamaño de un coco.

—¿De modo que ciudades de oro y bosques de canela...? —repitió meditabundo y como rumiando las palabras—. ¿Y hacia dónde queda eso?

—Bueno... —señaló el gomero sin comprometerse—. Por lo que tengo entendido hay que sortear varias islas hasta encontrar un estrecho paso entre dos muy grandes. Luego, todo es más fácil.

—¡Ya...! Y tú conoces el camino.

—Tengo una idea. Me dibujaron una especie de mapa.

—¿Y dónde está ese mapa?

Cienfuegos sonrió ladinamente al tiempo que se golpeaba con el dedo índice la sien derecha.

—En la arena de una playa, y aquí.

El mugriento y repelante *Capitán Eu* observó irónico al pelirrojo cabrero canario, y sus minúsculos ojillos parecieron querer penetrar hasta lo más profundo de su mente. Por último, y tras un largo espacio de tiempo, durante el que no cesó ni un instante de rascarse el testículo enfermo, negó repetidas veces con aire pesimista.

—¡Mientes! —fue todo lo que dijo.

—¿Por qué habría de hacerlo!

—Porque una cabeza que tiene dentro el «derrotero» para llegar a Cipango o al Catay, vale un imperio y ningún estúpido la haría colgar del palo mayor, pero la tuya no contiene más que mierda y fantasía. Sabes menos de estas tierras y estos mares que un pinche de cocina. *¡Azafrán!* —llamó.

La puerta se abrió de inmediato e hizo su aparición la solícita cabeza de la negra:

—*Azafrán* no...: *¡Azabache!*

—¡*Azafrán* o *Azabache*, qué coño importa...! —replicó el otro malhumorado—. Jamás consigo recordarlo. Avisa a Tristán Madeira. Tendremos fiesta.

El rostro de la muchacha mostró a las claras su desconcierto, lanzó una larga mirada de conmiseración al gomero y abandonó de nuevo la estancia visiblemente abatida.

A los pocos instantes hizo su entrada un hombre altísimo y escuálido que de tanto inclinar la cabeza para no golpearse con los techos mantenía la barbilla casi pegada al pecho, y antes de que pudiera siquiera abrir la boca, el Capitán Euclides Boteiro se limitó a apuntar al canario con el dedo y ordenarle:

—¡Ahórcalo!

—Lo que usted mande... —replicó el recién llegado con marcado acento gallego.

Extendió la mano con la intención de aferrar a *Cienfuegos* por el brazo, pero éste se apartó levemente al tiempo que comentaba:

—¡Espera, *Ganzúa*! ¿A qué viene tanta prisa?

El larguirucho pareció sorprendido por el extraño apelativo y observó con fijeza a su interlocutor.

—¿De qué me conoces?

—¿Acaso no eres Tristán Madeira, al que todos llamaban *Ganzúa*, segundo timonel de *La Niña*...? —Ante el mudo gesto de asentimiento añadió—: ¿Es que no me recuerdas? Soy *Cienfuegos, el Guanche*, uno de los grumetes de la *Marigalante* que se quedaron en el «Fuerte de la Natividad»...

—¡Anda la puta...! —exclamó el otro—: ¡Cómo has crecido, chico! —Le observó con mayor detenimiento—. Pero tenía entendido que todos los del Fuerte murieron.

—Todos menos yo.

—¿Y eso?

—Deserté antes de que lo arrasaran y he pasado todos estos años vagando por la zona, aunque aquí, tu Capitán, no quiere creerme.

El maloliente gordo, que por un momento se diría que había dado por concluido el asunto, pareció desorientarse levemente, y observó a los españoles con una clara sombra de sospecha en la mirada.

Al dirigirse de nuevo al larguirucho, su voz mostró una extraña gravedad al inquirir autoritario:

—¿Es cierto lo que dice? ¿Iba contigo en el primer viaje del Almirante?

El otro encogió sus estrechos hombros al tiempo que abría las manos con las palmas hacia arriba en una especie de mudo ademán de impotencia.

—Recuerdo que en la *Marigalante* se coló un polizón gomero pelirrojo que brincaba por el barco como un mono. La barba le cambia mucho, pero no cabe duda de que se parecía a éste.

—¡Soy yo, estúpido! —protestó *Cienfuegos*—. ¿O aún no recuerdas que empuñaba el timón la noche del naufragio? Tú ibas a mi estela, y fuiste el primero en comprender que había embarrancado.

—Eso es cierto. —El llamado *Ganzúa* se volvió al Capitán—. Tiene que ser él —señaló—. Nadie que no estuviera allí, conocería ese detalle. —Extendió la mano—. ¡Espera! —pidió—. ¿Quién era el timonel que abandonó la caña esa noche y le castigaron con quedarse también en Haití?

—El Caragato.

—¡Exacto! —ahora sí que alargó los brazos y le apretujó con entusiasmo—. ¡Caray, *Guanche*! —exclamó—. Me alegra verte vivo... —Luego le apartó como para mirarle con especial detenimiento e inquirió—: ¿Seguro que no sobrevivió nadie más?

—El viejo *Virutas* venía conmigo, pero murió un año más tarde en «Babeque».

—¿«Babeque»...? ¿La «Isla del Oro»? —intervino de inmediato el Capitán portugués vivamente interesado—. ¿Qué sabes de ella?

Cienfuegos se golpeó la sien con el dedo índice al tiempo que sonreía con marcada intención:

—Lo que yo sé, está todo aquí, donde usted asegura que tan sólo tengo mierda y fantasía, pero le juro por mi alma que conozco un lugar en el que cuatro tipos llenaron de polvo de oro un arcón más grande que ése, en menos de un mes.

El marino movió dificultosamente su inmensa humanidad para lanzar una sola ojeada al pesado baúl de tres cerraduras que ocupaba el fondo de su destartalado camarote, y pareció llegar a la conclusión de que aquel desconcertante pelirrojo al que había pescado medio muerto en mitad del océano, podía estar diciendo la verdad.

Se despojó parsimoniosamente de la pringosa gorra de un azul descolorido y sudado, y mientras se entretenía en hacer estallar entre las uñas algunos de los innumerable piojos que las inundaban, inquirió sin alzar la mirada:

—¿Estarías dispuesto a dibujarme el «derrotero» que conduce a Cipango y al Catay?

—No.

—¿Y a la isla de «Babeque»?

—Tampoco.

—En ese caso, dame una buena razón para que te mantenga vivo, gastando agua y comida, y corriendo el riesgo de que un día te largues y vayas con el cuento de que andamos por aquí...

—Porque usted sabe que dibujar esos «derroteros» sería tanto como firmar mi sentencia de muerte. —El gomero sonrió de forma tan inocente que se diría que nunca había roto un plato—. Pero lo que sí puedo es ir marcándole el rumbo. Le aseguro que cuando lleguemos estará tan satisfecho de mí, que decidirá perdonarme la vida.

—Lo dudo, pero empiezo a creer que tal vez tengas razón... —Se volvió al larguirucho—. ¿Tú qué opinas?

—Colgarle sería más divertido —fue la insolidaria respuesta del gallego—. Pero lo cierto es que llevamos meses dando tumbos sin resultado, y si en verdad éste es capaz de llevarnos a alguna parte sería conveniente mantenerle con vida.

Pasaron cinco minutos antes de que el *Capitán Eu* concluyera de matar piojos y tomara una decisión.

—Nunca me he fiado de ningún español... —masculló con notorio descontento—. Y creo que ahora hago mal en fiarme de dos, pero correré el riesgo... —Apuntó con un amenazante dedo a Tristán Madeira—. ¡Vigílale! —ordenó—. Si intenta jugarme una mala pasada te cuelgo a ti también... Y ahora marchaos.

Ya sobre cubierta, el canario no pudo por menos que encararse molesto a su compatriota:

—¡Un poco hijo de puta tú, eh...! —le reprochó—. ¿De modo que te parecía más divertido ahorcarme?

—Pero no lo hizo —replicó el otro obligándole a alzar la barbilla hacia el cadáver que pendía de la cruceta—. Si llego a insinuar que te perdone, acabas como ése. —Soltó un reniego—. ¡Maldita sea la hora en que se me ocurrió embarcarme! Nos prometieron honores y riquezas, y no hemos recibido más que insultos y latigazos... Esa vaca marina lo único que desea es gobernar el barco desde el castillo de popa porque con esa tripa y ese culo no puede ni descender por la escalerilla. Las pocas veces que nos aproximamos a tierra a hacer aguada tan sólo permite desembarcar a los más cobardes, sin víveres y casi desarmados, porque él, con la negra, emborracharse, comer como un cerdo y mandar azotar de vez en cuando a alguien, tiene bastante.

—¡Hermoso panorama! —se lamentó el canario sin poder apartar la vista del putrefacto ahorcado—. ¿Y ahora qué hacemos?

—Lo ideal sería encontrar la ruta de Cipango. —Le observó con desconfianza—. ¿De verdad la conoces?

—Tengo una idea.

—¿Estás seguro?

—Más que tú —el canario sonrió ahora a la negra *Azabache* que le sonreía a su vez desde proa—. Y lo que sí es cierto, es que yo hablo los dialectos de los nativos, y vosotros no.

—Recuerdo que fuiste el primero que se entendió con los salvajes de Guaharaní —admitió el otro de mala gana—. Y espero que nos sirva de algo... —Siguió la dirección de su mirada y le advirtió señalando a la muchacha—: Ese coñito es propiedad privada del viejo; al último que le puso la mano encima le obligó a beber plomo derretido y cuando se le cuajó en las tripas lo arrojó al agua. Se hundió como una piedra.

El canario pareció levemente desconcertado, y, por último, admitió:

—Jamás se me ocurriría ponerle la mano encima a *Azabache*.

—¿Acaso eres racista?

—¿Racista? —se sorprendió *Cienfuegos*—. En absoluto. Lo que pasa es que parece un chico.

—Pues te aseguro que no lo es —sentenció convencido Tristán Madeira—. Si no fuera por la vaca marina, más de uno le saltaría encima cada noche. —Agitó la cabeza como tratando de alejar un pensamiento que le obsesionaba—. Jamás he conocido a nadie que inspire tanto asco, tanto odio y tanto miedo como ese cerdo —murmuró—. Todos, absolutamente todos cuantos estamos a bordo daríamos una mano por abrirle en canal, pero nadie se atreve... —Le miró de frente—. ¿Por qué?

—No lo sé —admitió con naturalidad el canario—. Aún no le conozco lo suficiente... Ni a vosotros tampoco.

—Nosotros no somos más que un montón de sacos de mierda, incapaces entre todos de tirar al mar a un hediondo saco de manteca. —Lanzó un escupitajo al agua—. ¡Dios! Y yo que me sentía tan orgulloso por haber sido timonel de *La Niña*. —Con un amplio ademán señaló la inmensidad del mar que se abría ante ellos, de un azul añil denso y profundo, y con grandes ondas pacíficas que llegaban del noroeste haciendo cabecear al maltrecho *Sao Bento* con un lastimoso crujir de huesos—. Y ahora mi consejo es que decidas pronto qué rumbo debemos seguir, porque la paciencia no es la principal virtud del viejo y te juegas la vida.

Cienfuegos pasó el resto del día y parte de la noche observando el mar y el cielo en un inútil esfuerzo por hacerse una idea de en qué punto del universo se encontraba, y determinar si Haití se mantenía aún frente a la proa o había quedado definitivamente a sus espaldas.

El sol —que al ocultarse marcaba sin lugar a dudas el oeste— y algunas estrellas de las que su buen amigo Juan de la Cosa le había enseñado a reconocer, constituían por el momento sus únicos aliados, y tomó conciencia de que una vez más tendría que echar mano a todo su ingenio de sobreviviente nato para enfrentarse al nuevo peligro que para su integridad física representaba el cruel y panzudo portugués del inmenso testículo.

El Ganzúa parecía tener razón en cuanto había contado con respecto al temido y repelente capitán de un mísero barcucho que hasta cierto punto podía considerarse nave corsaria o buque espía al servicio de la corona portuguesa, puesto que todas sus acciones estaban encaminadas a conservar su privilegiada posición de inflexible tirano de una tripulación a la que se diría condenada a navegar eternamente en busca de un incierto destino.

La vaca marina en tierra firme no hubiera sido nunca más que un pobre inválido aquejado de una grotesca enfermedad que provocaba hilaridad, puesto que su enorme vientre y su desmesurado testículo le convertían en una especie de ridícula rana sudorosa, pero allí, a bordo del *Sao Bento*, era rey y señor, suprema autoridad, juez y verdugo, y hasta el último grumete sabía de antemano que una simple sonrisa mal interpretada podía conducirle al cadalso.

Tal vez por todo ello, el astuto Rey Juan le había elegido entre docenas de posibles candidatos, puesto que lo que exigía aquella clandestina empresa no era un hombre valiente, animoso o emprendedor, sino más bien un avieso y paciente observador capaz de pasarse años en el mar sin experimentar la más mínima nostalgia por un lejano hogar o un puerto amigo en el que descansar.

La misión de Euclides Boteiro se limitaba por tanto a recorrer miles de millas trazando mapas y analizando posibles «derroteros», estudiando vientos y corrientes, y recabando una valiosísima información que algún día se pondría al servicio de los auténticos «abanderados» de heroicas empresas.

Y tenía además, y sobre todo, el secretísimo encargo de seguir las huellas de Cristobal Colón, descubrir sus puertos de apoyo y tratar de adelantársele en la aún incompleta aventura de llegar a los grandes imperios del Este siguiendo el camino del oeste.

Y es que casi desde el mismo día en que don Juan II decidió aceptar los consejos de sus navegantes de rechazar la oferta de Colón de intentar la travesía del «Océano Tenebroso», y para verlo abandonar Lisboa dispuesto a negociar con los españoles, un mal presagio pareció adueñarse de su ánimo llevándole al íntimo convencimiento de que tal vez acababa de cometer uno de los mayores errores de la Historia.

A tal punto llegó su desasosiego cuando tuvo noticias de que el genovés se encontraba ya en tratos con los Reyes Católicos, que incluso le envió tres mensajeros rogándole que regresara a reiniciar las fallidas conversaciones, pero Colón, tal vez por orgullo, o tal vez porque temiera que en realidad lo único que pretendía era deshacerse de él encarcelándole, prefirió continuar en España aunque le costara mucho más tiempo y esfuerzo llevar a cabo su difícil empeño.

El regreso años más tarde de *La Pinta* y *La Niña* con la feliz noticia del descubrimiento de nuevas tierras allende los mares, provocó de inmediato el nacimiento de una sorda ira en el corazón del monarca al tiempo que una profunda frustración en el seno del pueblo portugués, que consideró que en cierto modo la falta de visión de sus mandatarios les había privado de una gloria a la que creían tener derecho por la magnitud de las hazañas de sus navegantes en los últimos tiempos.

Un soberano tan pagado de sí mismo como lo había sido siempre don Juan II jamás supo asimilar la notoria ofensa que le hiciera el Almirante aireando públicamente su error, por lo que dedicó gran parte de su esfuerzo a boicotear o destruir en lo posible los logros de quien tan abiertamente le había humillado.

Colón había demostrado que el «Océano Tenebroso» podía atravesarse, y eso nadie sería capaz de negarlo, pero lo que Colón aún no había conseguido, pese a sus múltiples promesas, era fondear sus naves frente al palacio del Gran Kan, y era en esa tarea donde los portugueses pretendían adelantársele.

Cuatro buques como el *Sao Bento* habían zarpado por tanto a hurtadillas de los más recónditos puertos de provincias, y sus peculiarísimos capitanes tan sólo tenían una orden concreta que cumplir: hacer lo imposible por conseguir que la bandera de los Avis ondeara en primer lugar en las costas de Asia.

¿Pero a qué distancia se encontraban exactamente aquellas costas, y cómo salvar el inesperado obstáculo que significaban el cúmulo de islas, islotes e islillas que se atravesaban continuamente en el camino?

Para el canario *Cienfuegos* la respuesta a tal pregunta parecía estar muy clara: dondequiera que se encontrase el Gran Kan, tenía que ser muy lejos, dado que ni uno solo de los múltiples indígenas con los que había llegado a tomar contacto a lo largo de aquellos años había oído mencionar que en algún lugar del mundo existiesen poderosos reyes o enormes ciudades con palacios de oro, pero resultaba a todas luces evidente que, según le advirtiera la negra *Azabache* y le refrendara el flaco *Ganzúa*, admitirlo ante el sanguinario *Capitán Eu* significaría introducir por sí mismo la cabeza en el lazo de la soga.

Con la primera claridad de un alba que le sorprendió recostado en el tambucho de proa, el gomero tenía ya por tanto completamente diseñado en la cabeza el imaginario «derrotero» que el portugués venía buscando, y había llegado al «firme convencimiento» de que, según todos los indicios, no más de dos semanas de navegación debían separarles de las costas de Cipango y el Catay.

—Al fin y al cabo —se dijo—. ¿Quién soy yo para llevarle la contraria a un Almirante...? Si él afirmaba que Cipango está cerca, es que lo está.

—Oeste, suroeste... —fue su firme respuesta por tanto cuando el piojoso Capitán le interrogó sobre la ruta a seguir, evocando quizá con ello las indicaciones de los hermanos Pinzón, que siempre habían asegurado que tal rumbo era el más lógico y el que menos hacía sufrir a las naves durante la travesía del océano.

—¿Oeste, suroeste...? —repitió el gordinflón como en un eco sin dejar por ello de taladrarle con sus porcinos ojillos—. ¿Estás seguro?

—Si el mar y el viento se mantienen así, dentro de cuatro o cinco días emproaremos al oeste para dar con una isla alta y muy verde que dejaramos por babor.

Sucedió entonces una de las cosas más pintorescas de que el gomero tuviera nunca noticia, ya que el viejo marino, que presumía de haber pasado más de cuarenta años navegando, pareció desconcertarse de improviso, se miró las manos, consultó un tatuaje que lucía en el dorso de la diestra, y agitando repetidas veces la opuesta, repitió una y otra vez como en una especie de odiosa cantinela:

—«Babor es la izquierda.» «Babor es la izquierda.» «Babor es la izquierda...» ¡Maldita sea mi alma! Me moriré sin saberlo. ¡Y tú, español de mierda! —le espetó con voz de trueno—, acostúmbrate a la idea de que en mi barco no hay babor ni estribor, sino izquierda y derecha... ¿Está claro?

—Lo que usted mande, Capitán.

—¿Por dónde tendremos que dejar entonces la isla?

El canario dudó, agitó la mano tal como el otro había hecho y al fin repitió convencido:

—Por la derecha.

—¿Por la derecha? —balbuceó el portugués descompuesto y casi babeante—. ¿No acabas de decirme que por babor? Y babor es la izquierda. ¿O no?

—Creo que tiene usted razón, Capitán —se disculpó el canario—. Es que eso es algo que yo nunca he tenido tampoco demasiado claro y ahora, al dudar usted ha hecho confundirme.

—¡Está bien! Lárgate ahora... Y llama a *Azafrán*.

—¿*Azafrán* o *Azabache*, señor...?

—¡A la negra, joder! —explotó el otro—. ¡Y ándate con ojo, que por menos que eso he azotado a muchos!

—Son cosas del viejo... —sentenció poco más tarde Tristán Madeira cuando *Cienfuegos* le comentó el curioso incidente—. Pero no te engañes; que confunda nombres no significa que sea estúpido: es que, simplemente, cuando algo se le atraviesa, se le atraganta hasta el final. Y cuida tu gañote porque si el «derrotero» que le has dado no concuerda con lo que aparezca por la proa, eres hombre muerto.

La recomendación iba en serio, el canario lo sabía, y por ello se concentró en buscar una salida a la difícil situación en que sin duda se colocaría cuando una alta y verde isla no surgiera de la inmensidad del océano en el momento justo.

Azabache acudió al caer el sol a consolarle.

—¿Tienes miedo? —quiso saber.

—Bastante —asintió convencido—. Ese bestia está deseando hacerme bailar con el que está ahí arriba.

—Te lo advertí. Es un cerdo asesino. Se ha pasado toda la tarde buscando trufas, y ahora ronca como un búfalo. ¡Le odio!

—Si todos le odian tanto, ¿por qué no se ponen de acuerdo y le tiran al mar?

—Porque es el capitán. Y el capitán de un barco portugués, es como un dios.

—Entiendo... ¿Y los botes? ¿No habría forma de robar uno y hacerse a la mar?

—Están sujetos con cadenas y él guarda las llaves. También guarda las armas, su camarote es un auténtico polvorín, y jura que si un día descubriese el más mínimo conato de rebelión, haría saltar el barco por los aires. —La muchacha arrugó la ancha nariz en un simpático ademán que repetía con frecuencia—. Y le creo capaz de hacerlo. Para él, aparte de su barco, nada existe, y la vida de los demás le tiene sin cuidado.

—¿Qué podemos hacer?

—Nada —fue la resignada respuesta—. Nada más que rezar para que Dios te ilumine y encuentres el rumbo justo.

—A mí Dios no me ilumina ni con candil —se lamentó el gomero—. O me espabilo solo, o me jodo... —Se volvió a observar fijamente a la africana—. ¿Realmente estás decidida a dejar el barco y cambiar de vida?

—Esto no es vida y malamente podría cambiarla —le hizo notar la otra—. Con tal de largarme estoy dispuesta a todo.

Cienfuegos la observó, llegó al firme convencimiento de que decía la verdad, y tras rascarse la barba concluyó por señalar:

—En ese caso, buscaremos la forma de acercarnos a tierra.

—Más fácil te resultaría conseguir que una tortuga abandonase su caparazón —le hizo notar la negra—. El barco es su fortaleza, y el mar su aliado. ¡Mira a sus hombres! Cuanto más adelgazan, más engorda; cuanto más tristes y desesperados están, más orondo y feliz se le ve, y cuantos más mueren, más vivo parece. Es como si se nutriese del mal ajeno, y jamás renunciará a todo eso.

—Pues yo no estoy dispuesto a pasarme la vida a bordo de una pocilga flotante, comiendo galletas agusanadas y expuesto a que cualquier día me cuelguen.

—¿Y crees que a los demás les gusta? Hasta los oficiales me han pedido que lo degüelle cuando lo tengo indefenso, borracho y con la cabeza entre los muslos, pero estoy segura de que lo primero que harían luego sería descuartizarme. Le odian, pero nadie tiene cojones para acabar con él.

—Yo lo haré —le prometió el isleño—. Con tu ayuda, pero sin necesidad de degollarle.

Tres días más tarde el *Sao Bento* disminuyó de forma notable su andadura, comenzó a escorarse levemente y por último humilló la proa más de lo normal, lo que provocó que el timón variase su eje y se alzase en exceso dificultando la maniobrabilidad de la hasta aquellos momentos docilísima embarcación.

El *Capitán Eu* envió de inmediato a su segundo a las sentinas, y éste regresó con la mala nueva de que el casco estaba permitiendo que se filtrase agua por la aleta de babor, lo que hacía que, al estar la nave dividida en compartimientos, la sección inundada desbalancease el conjunto.

—¡Está bien! —admitió el repugnante gordinflón—. Que achiquen el agua y reparen los desperfectos.

Pero a media tarde un carpintero acudió a comunicarle que el problema era mucho más serio de lo que aparentaba en un principio, dado que no se trataba de que existiesen una o varias vías de agua que pudiesen taponarse, sino que más bien se diría que toda aquella parte de la aleta de babor, justo bajo la línea de flotación, se estaba ablandando y carcomiendo.

—¡No es posible! —estalló el Capitán Boteiro olvidando por unos instantes de rascarse el desmesurado testículo—. El *Sao Bento* está construido con los mejores robles de Manteigas, y jamás se dio el caso de que uno de esos robles se pudriese.

—Puede que tenga razón, Capitán —admitió asustado el pobre hombre—. Pero lo cierto es que éste se pudrió.

—Ha sido *La broma* —sentenció *Cienfuegos* cuando esa misma tarde la noticia corrió entre la tripulación como reguero de pólvora—. Y si no se la ataja, convertirá la nave en un pedazo de pan mojado.

—¿*La broma*? —repitió un ceñudo contramaestre desconcertado—. ¿Qué diablos es eso?

—Un animalejo que pulula en estas aguas; una especie de carcoma de mar que se fija a los cascos y los va taladrando hasta convertirlos en un colador. El viejo

Virutas, el carpintero de la *Marigalante*, lo descubrió hace tiempo.

La vaca marina no pudo por menos que alarmarse ante semejante noticia, y dado que esa misma noche nuevos agujeros habían hecho su aparición en otras zonas del casco, mandó llamar al canario y le espetó sin más preámbulos:

—¿Qué invento de mierda es ese de *La broma*? —quiso saber—. ¿De dónde lo has sacado?

—No es ningún invento, señor... —replicó impertérrito el gomero—. Es algo muy serio. Del mismo modo que no me creería si le cuento que en estas tierras existen lagartos de más de tres metros que se comen a la gente, minúsculas arañas que matan de un solo picotazo, o invisibles *niguas* que anidan bajo las uñas y acaban gangrenando una pierna, tampoco me creería si le digo que esa maldita *broma* puede descomponer un barco en tres semanas.

—¿Lagartos que se comen a la gente...? —se asombró el otro.

—¡Lo juro! —afirmó el isleño seriamente—. Una vez cincuenta de ellos me mantuvieron toda una noche subido a un árbol. Verá usted, iba yo vadeando tranquilamente una laguna, cuando de repente...

El relato de sus andanzas por las selvas tropicales, su encuentro con los caimanes y su posterior rescate por un amable indígena que le enseñó a sobrevivir en la más hostil de las junglas, resultó tan sincero y fascinante, que el seboso portugués no pudo por menos que admitir que resultaba de todo imposible que alguien se hubiera inventado todo aquello y diera tal cúmulo de detalles sin haberlo vivido.

—¡Diantre...! —refunfuñó al fin—. Nunca imaginé que este mundo fuera en verdad tan diferente al nuestro. Durante mis viajes a las costas africanas me hablaron de esa especie de lagartos, enormes, pero siempre supuse que se trataba de fantasías de negro.

—Pues es cierto, señor. Tan cierto como que se va a quedar sin barco a poco que se descuide.

—¿Encontró ese tal *Virutas* algún remedio contra *La broma*.

—Untaba de pez el casco, pero no sé si daba resultado...

Una vez más, el obeso *Capitán Eu* se despojó de la gorra y comenzó a aplastar piojos ensimismándose hasta el punto de olvidarse de la presencia del canario, que permaneció expectante y como distraído, intentando dar la impresión de que no le importaba demasiado la decisión que pudiera tomar con respecto al destino del buque. Al fin, al cerciorarse de que el otro parecía haberse sumergido en una especie de abstracción tan profunda, que se diría que se había olvidado del mundo, salió furtivamente del camarote y fue a reunirse con *Azabache* que le aguardaba a proa.

—¿Y bien? —quiso saber la muchacha.

—Creo que o mucho me equivoco, o se apresurará a buscar una tranquila playa en la que varar el barco y reparar los fondos.

—¿Continúo haciendo agujeros?

—Déjalo por el momento. Si te descubrieran todo el plan se vendría abajo y acabaríamos colgados. Ahora lo único que debemos hacer es esperar.

—¡Lástima! —se lamentó la negra—. Me divierte eso de ir dejando el casco como un colador.

—Si te pasas, nos hundimos.

—¿Y crees que me importaría? —fue la sincera respuesta—. Muchas noches, sentada aquí después de haber tenido que pasar toda una tarde con ese puerco inmundo, siento cómo sus piojos me corren por el cuerpo o noto su hedor sobre mi piel y me invaden unos deseos locos de saltar por la borda y hundirme para siempre en un agua que al menos me dejará de nuevo limpia. Morir no es lo peor que puede ocurrirte a bordo de este barco, pero de niña me enseñaron que quien se suicida pasa el resto de la eternidad en un pozo de serpientes que entran y salen libremente por todos los orificios de tu cuerpo, y eso me aterra.

—¿Es ése el infierno de los negros: un pozo de serpientes?

—Para los dahomeyanos sí —respondió la muchacha con naturalidad—. Mi pueblo adora las serpientes, las conoce mejor que nadie, y es capaz de preparar con su veneno medicinas que curan o pócimas que matan de mil formas, pero de igual modo que las consideramos una divinidad, las consideramos también el peor de los demonios.

—Yo no entiendo mucho de religiones —admitió el gomero con manifiesta sinceridad—. Pero por lo que tengo visto y oído al respecto, me da la impresión de que dioses y demonios andan siempre cogidos de la mano y empeñados en jodernos la vida a los de abajo. De otro modo no se entiende que ocurran las cosas que ocurren en la tierra, y que un tipo como yo, que nunca le hizo daño a nadie, lleve años dando tumbos.

—Es el destino.

—¿Y quién lo marca, los dioses o los demonios? Por lo que a mí respecta los segundos deben tener sin duda mucha más influencia, porque hay que ver las cabronadas que inventan...: aún no he salido de náufrago y ya soy candidato a colgar de una verga.

—Algún día cambiará tu suerte.

—Lo dudo... —replicó el canario convencido—. Cuando a un tipo tan pacífico como yo lo sacan de cuidar cabras en las montañas de La Gomera para lanzarle encima un millón de calamidades no es lógico esperar que un buen día la suerte cambie y pueda volver a vivir en paz y sin problemas. «Alguien» allá arriba tiene un interés especial en fastidiarme, y a fe que lo está consiguiendo.

—En cuanto pisemos tierra y encuentre una víbora, te fabricaré un amuleto que romperá el hechizo —le prometió muy seria la muchacha—. Las víboras todo lo pueden.

Pero el canario *Cienfuegos* no creía en amuletos, ya que los acontecimientos le habían enseñado a no confiar más que en su capacidad de ingeniárselas para salir con bien del infinito rosario de contrariedades que habían ido apareciendo en su camino.

Si había conseguido escapar con vida del naufragio

de la *Marigalante*, la masacre del «Fuerte de la Natividad», el hambre de los caníbales, las acechanzas de los caimanes y el balazo de un español renegado, tal vez conservara aún la suficiente dosis de picardía como para librarse de la soga que le tenía reservada aquella bola de grasa putrefacta, que, de momento, parecía aceptar la creencia de que su amado barco se encontraba atacado por una feroz carcoma.

Lo único que podía hacer, por tanto, era aguardar la reacción del Capitán Euclides Boteiro, y por ello no pudo por menos de lanzar un hondo suspiro de alivio cuando al atardecer del día siguiente el timonel recibió la orden de abandonar el rumbo oeste-suroeste y seguir el vuelo de un grupo de albatros, que parecían regresar a sus nidos de la costa después de haber pasado la jornada pescando en mar abierto.

«Tiene miedo —se dijo—. Pese a que los hombres se pasen las horas achicando agua, la cubierta se inclina cada vez más, y tiene miedo...»

Y tal como suele suceder con harta frecuencia, el portugués no encontró mejor válvula de escape a sus temores que aumentar su ya de por sí exagerada crueldad, hasta el punto de que cuando esa noche el pobre grumete que le servía la cena tuvo la mala suerte de tropezar y caer sobre el inmenso testículo enfermo obligándole a emitir un alarido de dolor que resonó hasta en la más profunda bodega del navío, su reacción fue clavarle el tenedor en un ojo arrancándoselo de cuajo.

Le empujó luego con el pie para que rodara por la escalerilla del castillo de popa, y amenazó con cortar la cabeza a quien intentara prestar ayuda al desgraciado rapazuelo que aullaba de desesperación.

Entre Tristán Madeira y *Azabache* tuvieron que sujetar a *Cienfuegos* para que no subiera hasta donde se encontraba el canallesco gordo, puesto que resultaba evidente que la más sorda ira le nublaba en aquellos instantes la razón y no dudaría a la hora de abrirle la cabeza de un mandoble a quien pretendiera aproximársele.

—¡Déjalo...! —le suplicó la negra—. Ya no puedes devolverle el ojo a Jahirziño, y lo único que conseguirás es que te mate.

El gomero tuvo que hacer un sobrehumano esfuerzo por recuperar la calma, y cuando lo hubo conseguido estudió con detenimiento la odiosa figura que continuaba sentada en la inmensa butaca.

Comprendió entonces que lo que el Capitán Euclides Boteiro pretendía en esos momentos era provocarle —a él o a cualquier otro miembro de la tripulación—, buscando el estallido de una rebelión que le diera una disculpa para volar el *Sao Bento*.

Y es que el miedo, más que el viento, parecía ser la única fuerza capaz de impulsar aquella endemoniada nave, y ahora al miedo que todos sentían hacia un solo hombre, se había unido el que ese mismo hombre sentía ante la evidencia de que su imperio de terror corría el riesgo de derrumbarse.

La gran victoria del piojoso portugués se centraba desde antiguo en el hecho indiscutible de que había sabido convertir el mar, eterno símbolo de libertad, en una inmensa prisión de la que nadie podía soñar con evadirse, y al enfrentarse ahora a la urgente necesidad de tener que varar en la arena su frágil fortaleza se sentía terriblemente desasosegada puesto que abrigaba la profunda certeza de que apenas podía contar con la fidelidad de sus cuatro oficiales.

A nadie le sorprendió, por tanto, que cuando a la tarde siguiente el vigía de la cofa anunciara que hacia el sur se divisaba una baja línea de costa, mandara llamar a su segundo para espetarle sin rodeos:

—Prepara los grilletes. Vamos a necesitarlos.

—¿A quién piensa encadenar?

—A todos los españoles, la negra, Namora, Ferreira, el primer timonel y los grumetes. Los demás están demasiado viejos o les falta valor para desertar. Y recuerda..., al que lo intente lo cuelgo en el acto.

Esa noche no durmió nadie a bordo. El *Sao Bento* se había aproximado hasta unas dos millas de una costa baja y selvática de inmensas playas muy blancas, y esa costa, de la que llegaba un aroma denso y profundo a tierra húmeda y vegetación descompuesta, iba deslizándose ahora mansamente por la banda de babor, mientras la proa enfilaba al suroeste.

La tripulación en peso permaneció acodada en la borda hasta que la luna en menguante desapareció en el horizonte sumiéndolo todo en tinieblas, por lo que se arrió gran parte del velamen, pero la desilusión llegó con la primera claridad del alba, cuando el vigía descubrió, desolado, que todo rastro de tierra había desaparecido tragado por las aguas.

Dos horas después, sin embargo, en el momento en que ya más de uno comenzaba a murmurar que merecería la pena arriesgarse a sorprender al viejo cerdo, tirarlo al mar y virar en busca de la isla que había quedado atrás, una nueva costa nació, casi fantasmagórica, ante la proa.

Por extraño que pudiera parecerle a *Cienfuegos*, quien desde que pusiera el pie en el Nuevo Mundo tan sólo había divisado selvas, pantanos y montañas, lo que ahora se abría ante sus ojos era una interminable sucesión de altas dunas de arenas blancas, ocres, rojizas y amarillentas, que los curtidos marinos portugueses que habían hecho antaño el largo viaje hasta Guinea compararon al inmenso desierto del Sáhara.

El Capitán Boteiro mandó llamar de inmediato al canario, y sin permitirle que ascendiera al castillo de popa, inquirió a voz en grito:

—¡Tú! Español de mierda...: ¿qué es eso?

—«Isla Seca», Capitán —replicó *Cienfuegos* seguro de sí mismo—. Le aconsejo que la deje a la izquierda y sigamos hasta «Babaque» que debe estar a unas cincuenta leguas al oeste.

—¿Por qué habría de hacerlo?

—Es un infierno en el que perdimos cuatro hombres.

El hecho de que durante medio día costearan el árido paisaje sin distinguir más que arena y cactus, convenció al portugués de que *Cienfuegos* había dicho la verdad, y aquél era sin lugar a dudas un lugar idóneo para varar su maltrecha nave, ya que ni al más desesperado de los seres humanos se le ocurriría la absurda idea de desertar.

Buscó por tanto una tranquila ensenada en la que la pleamar penetraba profundamente para retirarse luego y dejar la playa en seco, y ordenó que arriaran los botes para que ocho remeros remolcaran el *Sao Bento* hasta el corazón mismo de la tórrida bahía abrasada por un sol deslumbrante.

Meditó largamente en la conveniencia o no de encadenar a los posibles desertores, pero tras enviar a su segundo a la mayor de las dunas y recibir el informe de que nada se distinguía en la distancia más que arena, altos cordones y agua salada, optó por dejarlos en libertad, no sin antes impartir secretísimas órdenes a sus más fieles esbirros.

A la mañana siguiente, tras una larga y agitada noche de inusitado trasiego entre la embarcación y tierra firme, convocó a sus desharrapados y famélicos tripulantes, se secó la frente con un sucio pañuelo, y señaló roncamente:

—Esto es una isla; una inmensa isla desierta que de ahora en adelante se llamará «Da Sintra». Aquí no hay agua, ni comida, ni forma alguna de escapar si no es por mar. —Hizo una corta pausa como para dar mayor énfasis a sus palabras—. Pero en esta parte del mundo no existe más barco que el *Sao Bento*, y el marino más lerdo sabe bien que ningún barco navega sin velamen. —Se despojó de la gorra, comenzó a destripar piojos con aire distraído, y sin alzar el rostro añadió—: Todas las velas están enterradas, y yo soy el único que sabe dónde. —Ahora sí que les miró de frente—. Así que si queréis seguir con vida haced lo que os mande, o de lo contrario en este maldito infierno se blanquearán nuestros huesos.

Ordenó luego que le transportaran en andas hasta la cima de una alta duna, clavó allí una especie de sombrilla hecha de cañas, y apoltronado en su viejo butacón se dispuso a observar cómo sus hombres varaban la nave, la carenaban y la embadurnaban de brea y pez para intentar combatir el ataque de una extraña y exótica especie de carcoma.

Cienfuegos acabó con ello de cerciorarse de que había topado en efecto con un personaje condenadamente astuto, y abrigó de inmediato la certeza de que en el momento mismo en que el buque saliese del agua el *Capitán Eu* se daría cuenta de que —aun existiendo algún rastro de la auténtica plaga— *La broma* no había atacado aún el sólido costillar de roble de su barco, sino que los diminutos agujeros habían sido perforados desde el interior de la nave.

—Será mejor que me largue —le hizo notar a la negra—. Ese cerdo no tardará en averiguar quién es el autor de la trastada.

—¿Y de qué piensas sobrevivir en un lugar como éste?

—De lo que siempre he hecho: de milagro. Por aquí tiene que haber huevos de gaviota, tortugas, cangrejos y peces... El problema es el agua, pero sabré arreglármelas...

La muchacha le observó con fijeza, y al poco señaló convencida.

—¡Voy contingo!

—Sería una locura.

—No más que para ti.

—Pero es que yo estoy acostumbrado a pasar calamidades... —Hizo una corta pausa—. Y si me quedo me juego el pescuezo.

—En este caso el pescuezo no es lo más importante —sentenció la dahomeyana arrugando la nariz según su costumbre—. La sola idea de volver a esa cochinera me provoca náuseas. Llevo años sin pisar tierra firme, y ya que estoy en ella no pienso volver a embarcar... ¿Cuándo nos vamos?

—¿Por qué no ahora?

—¿Ahora...? —se asombró la africana—. ¿Así, sin más, en pleno día?

—Es el mejor momento. En cuanto oscurezca tal vez nos encadenen, y cuanto necesitamos es un par de pellejos de agua, cuchillos, y algo de comida.

—Nos perseguirán.

—¿Quién? —El canario señaló con un desdeñoso ademán de la mano el triste aspecto de la esquelética y macilenta tripulación—. ¿El gordo que apenas puede levantar el culo de la silla, o ese hatajo de desgraciados muertos de hambre? El oficial más joven nos triplica la edad, y o mucho me equivoco o los grumetes lo que desearían es imitarnos. Ese barco hiede a muerte.

—¿A qué esperamos entonces...? —inquirió ella súbitamente animada—. ¡Adelante!

Con la tranquilidad de quien está haciendo algo absolutamente natural, se encaminaron al borde del agua, tomaron de los botes que iban descargando el navío cuanto necesitaban, y sin pronunciar siquiera una palabra, comenzaron a trepar por una alta duna a no más de doscientos metros de distancia del punto en que se encontraba el Capitán Euclides Boteiro, que tardó varios minutos en comprender lo que estaban haciendo.

—¡Eh! —gritó al fin con voz de trueno—. ¿A dónde vais?

El canario alzó el brazo y apuntó hacia delante:

—¡Al sur! —replicó sonriente—. Le mentí y esto no es una isla: es tierra firme.

—¿Tierra firme? —balbuceó el gordinflón con un leve estremecimiento de su fláccida papada—. ¿Cómo lo sabes?

—Estuve aquí antes, y a unas quince leguas comienza la selva. —Hizo un gesto hacia el *Sao Bento*—. ¡Y olvídese del barco! ¡Jamás volverá a navegar! *La broma* lo pudrió.

—¡Mientes!

—Lo comprobará en cuanto lo saque del agua. Se le desfondará como un huevo. ¡Adiós, Capitán! Es usted el hijo de puta más asqueroso, canalla y maloliente que he conocido. ¡Que se divierta!

Agitó alegremente la mano como quien se despide de un viejo amigo, y reanudó sin prisas la marcha bajo la atónita mirada de los miembros de la tripulación que permanecían clavados en la playa como si se hubieran convertido en estatuas de piedra.

Al coronar la cima del inmenso médano y comenzar a descender por la ladera opuesta, *Azabache* aceleró el paso para ponerse a su altura e inquirió sorprendida:

—¿Es cierto eso de que habías estado antes aquí?

—No.

—¿En ese caso no estás seguro de que sea tierra firme?

—En absoluto.

—¿Por qué le has dicho entonces que no es una isla?

—Porque él tampoco lo sabe. Ni la tripulación. Le perderán el miedo, y sin miedo esa bola de grasa es más inofensiva que un sapo en una charca.

La muchacha se detuvo un instante, meditó en cuanto acababa de oír, inclinó levemente la cabeza y comentó con aire divertido.

—¡Me gusta! Tal vez nos muramos de hambre y sed pero imaginar el pánico que debe sentir en estos momentos la vieja foca me compensa por todas las calamidades que podamos pasar. —Él se había detenido también volviéndose a observarla y le guiñó un ojo con picardía—. ¿Qué haremos ahora? —quiso saber.

—Caminar.

—¿Hacia dónde?

—Hacia el sur. Siempre hacia el sur. —Escupió hacia el cielo e indicó con un gesto la dirección que había tomado la saliva—. Aquí el viento siempre sopla del norte: del mar al interior. Estos médanos deben haberse formado por tanto con la arena de la playa que el viento ha ido empujando tierra adentro. Cuanto más nos alejemos de la costa, más posibilidades habrá de encontrar un lugar que las dunas no hayan invadido aún y exista agua.
—Hizo un imperativo gesto con la cabeza—. ¡Así que en marcha!

—¡Eres un tipo listo! —admitió la africana obedeciéndole con paso un tanto tambaleante ya que estaba acostumbrada a caminar sobre una cubierta siempre inestable—. ¡Condenadamente listo!

—Es que he decidido no morirme sin volver a Sevilla.

—¿A dónde?

—A Sevilla; una ciudad del sur de España en la que me espera una mujer.

—¿Cuánto hace que te espera?

—Cinco o seis años... No estoy seguro. Perdí la noción del tiempo.

—¡Pues sí que tiene paciencia! Yo jamás esperaría a un hombre ni seis días.

—Es que tú no sabes lo que es el amor.

—Sí que lo sé —replicó ella extrañamente seria—. Es lo que sentía por un gaviero de Coimbra al que el gordo obligó a beber plomo derretido porque nos vio juntos. —Hizo una corta pausa y chasqueó la lengua como si se tratara de una travesura infantil ya olvidada—. Entonces yo era muy joven —añadió—. Nunca me volverá a ocurrir.

El canario se volvió a mirarla, fue a decir algo, pero no llegó a hacerlo porque de improviso se detuvo y se quedó observando un punto a su espalda.

—¡Mira! —señaló.

Azabache obedeció y no pudo disimular un gesto de preocupación al advertir que media docena de hombres les seguían.

—¡Corramos! —exclamó de inmediato haciendo ademán de iniciar la huida, pero el cabrero la detuvo aferrándola firmemente por el brazo.

—¡Espera! —le tranquilizó—. No es que nos persigan; es que se marchan.

—¿Se marchan? —repitió incrédula.

—Exactamente.

—¿Por qué?

—Por lo mismo que nosotros: ya no le temen al viejo piojoso. Saben que en tierra ha perdido su poder.

—¿Les esperamos?

El cabrero negó mientras indicaba cuanto les rodeaba:

—Dos personas pueden arreglárselas para sobrevivir en un lugar como éste; cuarenta, no, y me juego la cabeza a que antes de que se oculte el sol, el Capitán Euclides Boteiro se habrá quedado completamente solo.

Cienfuegos se equivocó en sus cálculos, puesto que

los oficiales aguardaron hasta que las primeras sombras de la noche comenzaron a deslizarse mansamente sobre el petrificado mar de dunas amarillas, para escabullirse furtivamente sin tener que soportar la porcina mirada de reproche de su tiránico jefe. Tal precaución resultaba no obstante por completo innecesaria, ya que hacía más de tres horas que éste parecía absolutamente ajeno a cuanto pudiese ocurrir, permaneciendo con la vista clavada en el ancho mar que nacía a sus pies y fuera del cual se sentía tan indefenso y torpe como una auténtica morsa.

Constituía una extraña visión aquella inmensa mole de grasa y mugre apoltronada en un sufrido sillón de enormes brazos, con su gigantesco testículo inflamado colgando entre dos fláccidos muslos, abandonado en la cima de un médano que iba cambiando de color minuto a minuto, y a no más de un centenar de metros de distancia de un desvencijado navío que comenzaba a escorarse a medida que la marea descendía.

Hubiera resultado empeño inútil tratar de preguntarse qué era lo que estaba pasando en aquellos momentos por su mente, puesto que lo más probable es que se le hubiera quedado completamente en blanco, tan en blanco como la de un tiburón al que hubiesen arrancado violentamente del agua imposibilitado de lanzar una sola dentellada o avanzar ni siquiera un centímetro pese a la portentosa fuerza de su cola.

Estaba muerto y lo sabía. Muerto en vida pese a que todavía respirase y continuase respirando aún durante horas, puesto que al temido Capitán Euclides Boteiro le resultaba casi imposible valerse por sí mismo, y abrigaba el pleno convencimiento de que tratar de regresar al *Sao Bento* hubiese significado rodar como un cómico melón colina abajo.

Un postrer residuo de dignidad, oculto sin duda en el más recóndito rincón de su conciencia de capitán de barco, acudió por unos instantes en su ayuda, pero al poco no pudo evitar sentir una insondable lástima de sí mismo, y cerrando los ojos permitió que las lágrimas corrieran libremente por sus sucias mejillas.

Fue una larga noche la que pasó en la cima de la duna, primero terriblemente a oscuras y más tarde iluminado apenas por un último despojo de luna, sin más compañía que el rumor de las olas, la suave canción del viento, y el lastimoso crujir de las cuadernas del *Sao Bento* que, al quedar en seco con el descenso de la marea, semejaba una inmensa ballena a la que su propio peso estuviera aplastando contra la arena.

Le dolió escuchar los estertores de muerte de su barco, ya que pese a que fuese sin duda el más mugriento, maloliente y desvencijado de cuantos hubiesen surcado los océanos, era lo único que realmente había poseído a todo lo largo de su mísera existencia; su hogar, su reino y su refugio.

Al alba le venció la fatiga, le despertó un sol tempranero que le abrasaba los piojos, y cuando buscó la sombrilla descubrió que aparecía clavada a unos diez metros de distancia, dando sombra ahora a un rapazuelo que, sentado en la arena, le observaba fijamente con su único ojo.

—Así que has vuelto a verme morir —musitó con voz ronca, y ante el mudo gesto de asentimiento, añadió—: Eso no impedirá que seas tuerto el resto de tu vida.

—Más vale tuerto vivo, que cerdo muerto, y usted es un cerdo al que el sol le va a achicharrar los sesos... —Agitó la cantimplora que el Capitán Euclides Boteiro había tenido junto a sus pies y añadió secamente—: A medio día me ofrecerá un ojo a cambio de un sorbo de agua.

—Eres un pequeño hijo de puta.

—Tuve el mejor maestro.

No volvieron a pronunciar ni una sola palabra, limitándose a permanecer muy quietos, frente a frente, el uno derritiéndose bajo el sol de fuego, y el otro tan inmóvil como si se hubiese convertido en un ídolo de piedra sin más rastro de vida que aquel único ojo en cuyo fondo podía leerse un odio infinito.

La desesperante agonía del grasiento y hediondo Euclides Boteiro, capitán del *Sao Bento*, duró tres largos días, durante los cuales no hizo más gesto que cerrar los párpados para llorar, abrirlos para observar a su verdugo, o bajar de tanto en tanto la vista hacia el despanzurrado casco de su barco.

Murió cuando ya el verde y cristalino mar de la ensenada penetraba mansamente hasta el corazón de la nave a través de los innumerables destrozos que ella misma se había causado al aplastarse, y tuvo una muerte, que aun terrible, no bastó ni con mucho para compensar todo el mal que había causado a su paso por el mundo.

El grumete, que apenas había hecho tampoco más gesto en ese tiempo que beber de tanto en tanto un corto sorbo de agua, permaneció aún más de dos horas observando aquel inmenso cadáver que casi de inmediato comenzó a corromperse, y cuando el zumbido de un millón de moscas le hicieron comprender que no le quedaba ya por saborear ni una sola gota más de su dulce venganza, se puso lentamente en pie y emprendió sin prisas la marcha en pos de sus compañeros de martirio.

El esqueleto de un carcomido navío y una montaña de grasa que se iba derritiendo bajo el furibundo sol del trópico, quedaron para siempre allí como inquietantes monumentos a la maldad humana.

El calor, lejos ya de la costa y sus refrescantes vientos, reflejándose el sol sobre el blanco violento de las dunas, resultaba tan agobiante, que ni la negra *Azabache*, nacida en las tórridas y húmedas tierras dahomeyanas, ni incluso el cabrero *Cienfuegos* que se había achicharrado por días y semanas sobre una tosca canoa en mitad del Mar de los Caribes, conseguían resistirlo, hasta el punto de que tuvieron que tomar la decisión de dormir de día y caminar de noche.

Debía hacer años que no llovía en la región, y el aire, seco y polvoriento, hacía daño al aspirarlo irritando las fosas nasales y engañando a la vista, ya que una densa calima impedía distinguir cualquier accidente del terreno que se encontrara a más de una legua de distancia, por lo que del alba al ocaso permanecían atrapados en la magia de aquel paisaje de temblorosos contornos en el que resultaba imposible diferenciar el espejismo de la realidad, y donde vivir era como soñar que se vivía, mientras conciliar el sueño constituía la única forma factible de mantenerse vivo.

Y del ocaso al alba intervenían los fantasmas, puesto que la débil luz de las estrellas jugaba a cambiar las dunas de lugar o a camuflar los estilizados y agresivos cactus de terribles púas, que de improviso se alzaban como nacidos de la nada obligando al desprevenido caminante a lanzar un alarido de dolor y un sonoro reniego.

Y es que podría creerse que los espinosos cardones, altos, flacos, oscuros y acorazados habían sido elegidos por la astuta Naturaleza para acabar de convertir aquella tierra en el lugar más inhóspito del planeta, desanimando de ese modo a los audaces que pretendieran descifrar de noche los secretos que les estaban vedados bajo la tórrida luz del día.

¿Pero qué clase de absurdo secreto podía ocultar tan infinito montón de ardiente arena?

—Ninguno... —fue la firme respuesta del gomero a la pregunta de *Azabache*—. Es tan sólo un capricho de la Naturaleza, que se divierte en demostrar que junto a una isla verde, húmeda y lujuriante en la que todas las formas de vida son posibles, es capaz de crear esta especie de infierno alucinante. —Se encogió de hombros con gesto de impotencia—. Lo hace por joder.

—A menudo hablas del mar, la tierra, las nubes o las estrellas, como si se tratara de seres vivos dotados de inteligencia y voluntad —le hizo notar la negra—. Y eso es absurdo.

—¿Te lo parece? —se sorprendió el isleño—. Más absurdo se me antoja imaginar que son elementos inanimados, que están ahí sin razón aparente, y que no pueden escucharnos, hacernos compañía o compadecerse por nuestros sufrimientos. Yo me crié en las montañas de La Gomera y descubrí que unos días amanecían tristes y otros alegres. De igual modo el mar cambia de ánimo en cuestión de minutos, y las nubes se divierten o se enfadan según les sople el viento. He pasado tantísimo tiempo solo, que si no supiese que puedo hablar con las cosas y me entienden, acabaría por volverme loco.

—Tú jamás podrás volverte loco —sentenció la africana convencida—. Ya lo estás de remate, pero lo que te agradecería es que si crees que la Naturaleza te escucha, le supliques que deje de hacernos la puñeta, porque cambiar el *Sao Bento* por este arenal es como escapar de la sartén para caer al fuego.

Pero aquella Naturaleza no escuchaba y se vieron obligados a pasar cinco días acurrucados bajo la mísera sombra de los cactus, y cinco noches vagando sin rumbo por los médanos, para descubrir que acababan siempre a la orilla del mar, hasta el punto de que llegaron a la conclusión de que habían desembarcado en una auténtica isla.

El océano surgía inevitablemente al este, al oeste, al norte y al sur, y la reverberación o la calima les impedía distinguir a qué distancia podría encontrarse otra tierra menos infernal que aquel ardiente desierto cuyas arenas concluían una y otra vez al borde del agua.

—Creo que en esta ocasión me pasé de listo —admitió al fin el canario una noche en la que su deambular le llevó de nuevo a una ancha playa sin horizontes—. Esto no tiene salida.

Lo mismo debían opinar los restantes miembros de la tripulación del destruido *Sao Bento*, ya que en tres ocasiones distinguieron sus sombras vagando tan sin destino como ellos, e incluso una noche descubrieron el maloliente cadáver de un viejo cocinero al que la desesperación y la sed habían concluido por derrotar definitivamente.

Cienfuegos se sentía hasta cierto punto culpable por la suerte de aquellos desgraciados, aunque su compañera de fatigas se esforzara por recordarle que a decir verdad no había invitado a nadie a que le siguiera.

—Incluso a mí me lo desaconsejaste —dijo—. Y si lo hice fue porque prefería morir en libertad, que continuar agonizando en aquella pocilga. Igual les debe ocurrir a ellos.

—A bordo al menos sobrevivían.

—Ten paciencia; saldremos de aquí —pronosticó la dahomeyana, y sus vaticinios comenzaron a tomar cuerpo cuando al amanecer del sexto día, y perdida ya toda esperanza de escapar de tan cruel trampa de dunas, descubrieron, casi por casualidad, que en el extremo sudeste de la «isla», una baja y estrecha franja de arena se adentraba profundamente en el mar para entrever, a través de la enrarecida atmósfera, que a cuatro o cinco leguas nacía una tierra nueva y diferente.

Por aquel entonces, ni el canario *Cienfuegos*, ni la dahomeyana Azava-Ulué-Ché-Ganvié, ni ninguno de los tripulantes del *Sao Bento* podía siquiera imaginar, que habían pasado una espantosa semana deambulando como muertos vivientes por la inmensa y solitaria Península de Paraguana, al noroeste de la actual Venezuela; uno de los lugares más tórridos, desolados y agresivos del que ya por entonces empezaba a ser considerado Nuevo Mundo.

Habían llegado por fin a Tierra Firme.

Un gomero pelirrojo y una africana que más bien parecía un muchacho, eran quizá los primeros no aborígenes llamados a pisar el Continente, aunque nada se encontrase entonces más lejos de su mente que reparar en semejante acontecimiento, preocupados como estaban por encontrar agua y algo sólido que llevarse a la boca.

Un riachuelo ancho, tranquilo y poco profundo, desembocaba, perezoso, en al amplio y dormido golfo que formaba, la costa norte de Tierra Firme con la sur de la península, y tras saciar su sed, pasar más de una hora inmersa en sus cálidas aguas y devorar dos docenas de las innumerables papayas y guayabos, el gomero llenó hasta reventar los ya resecos odres que había «requisado» en el *Sao Bento*, y se dispuso a iniciar el regreso.

—¡No seas loco! —protestó *Azabache*—. Estás agotado. Espera a mañana.

—Mañana puede ser demasiado tarde —fue la decidida respuesta—. Esa pobre gente está atrapada ahí dentro por mi culpa, y jamás volvería a dormir tranquilo si no acudo en su ayuda.

—La mayoría de «esa pobre gente» no son más que una partida de desgraciados que no dudarían en cortarte en rodajas si se les presentara una oportunidad —sentenció la africana—. Piénsatelo, porque si no estás en perfectas condiciones, al menor descuido te degüellan.

—Correré el riesgo.

—En ese caso voy contigo.

—¡No! —La decisión no admitía réplica—. Esta vez sí que no. Me esperarás aquí, porque yendo solo me moveré más aprisa y más seguro.

Azabache hizo intención de protestar, pero no tardó en cambiar de opinión puesto que se encontraba demasiado agotada, ya que sin duda había tenido que caminar más durante aquella interminable semana que a lo largo de los cuatro últimos años de su vida. Pareció llegar a la conclusión de que, efectivamente, su presencia no acarrearía más que problemas, y concluyó por tumbarse a la sombra de un hermoso «araguaney» cuyas ramas se inclinaban sobre la corriente, para cerrar de inmediato los ojos y quedarse dormida.

El canario la observó con innegable envidia, a punto estuvo de dejarse vencer por la tentación de imitarla, pero recordó el sufrimiento que debía significar la sed para quienes llevaban tanto tiempo perdidos entre las dunas, y echándose al hombro los pesados pellejos rezumantes, se alejó playa adelante en busca del largo istmo arenoso.

Atraversarlo en pleno mediodía, se le antojó tan agobiante como atravesar las mismísimas puertas del infierno.

Ningún lugar del mundo llegaría a conocer el sufrido cabrero tan tórridamente asfixiante como aquella estrecha franja de tierra en que ahora se encontraba, y es que pocos lugares tan agresivos y calurosos existen sobre la superficie del planeta, dejando a un lado, quizá, las más profundas depresiones del temible desierto sahariano.

Fueron seis horas de marcha durante las que a punto estuvo mil veces de arrojarse al suelo para siempre o dar media vuelta y regresar a tumbarse junto a la negra *Azabache*, y tan sólo su probada fuerza de voluntad y su ansia de salvarle la vida a un puñado de hediondos portugueses que tal vez no dudarían en cortarle el pescuezo, le permitieron mantenerse en pie y avanzar a trompicones advirtiendo cómo a cada paso se hundía en la blanda arena bajo el insoportable peso de los odres de agua.

Una vez más se maldijo por lo bajo.

Y es que una vez más se veía sacrificándose estúpidamente por quienes a todas luces no merecían semejantes sacrificios, lo que le obligó a preguntarse de nuevo hasta cuándo continuaría pensando en los demás sin pensar en sí mismo.

Le había tocado vivir tiempos terribles en un mundo duro y difícil, y en lugar de tratar de simplificar las cosas eludiendo problemas, parecía complacerse en acentuarlos, ejerciendo de salvador hasta de sus propios enemigos.

—«Pronto aprenderé...» —murmuró, como si eso pudiera servirle de consuelo, pese a que tenía la absoluta seguridad de que la conciencia es algo que nunca aprende, puesto que nace y muere con los seres humanos sin cambiar un ápice su esencia.

Luego, a media tarde, rodó desde la cima de un alto médano y perdió el sentido, pero en el fondo lo agradeció, puesto que la reconfortante y dulce figura de Ingrid Grass acudió a su mente con tanta claridad como si acabara de despedirse de ella unas horas antes, pese a que hacía ya años que la poseyera por última vez, y a menudo su rostro parecía querer diluírsele en la memoria.

Hicieron el amor sobre la ardiente arena, abrazó una vez más su estrecha cintura, besó sus pechos, penetró hasta lo más profundo de su húmedo sexo, palpó hasta saciarse la textura inimitable de su piel, se embriagó de su olor, escuchó su voz apasionada y tierna, disfrutó sus caricias, y lloró aun estando dormido, porque ni el sueño fue capaz de hacer que olvidara por completo que su sueño era sueño, y que el doloroso despertar traería aparejada la tremenda amargura de su espantosa separación.

Abrió los ojos con la llegada de las primeras sombras de la noche, y ni su fuerza de voluntad fue capaz de vencer en esta ocasión la necesidad de permanecer largo rato tumbado cara al cielo, evocando aquel hermoso tiempo tan lejano en que se tumbaba de igual modo sobre la verde hierba de las montañas de La Gomera a recordar el maravilloso día que habían pasado juntos, ansiando que llegara a toda prisa el momento de abrazarla de nuevo.

La felicidad no debería existir cuando se corre el peligro de perderla, y como *Cienfuegos* sabía por experiencia que ése era un riesgo inevitable, había llegado a la conclusión de que ser tan inmensamente feliz como lo fuera durante un corto período de su vida, constituía a decir verdad la más infame trampa que el destino pudiera tenderle a un ser humano.

Tanto mejor hubiera sido no acudir aquella tibia mañana a bañarse en la laguna, no descubrir que una diosa desnuda le observaba, no acariciar su piel, besar sus labios, enredarse en su rubio cabello, abrasarse con el ardiente néctar que rezumaba su intimidad, y concluir perdiendo la voluntad y el alma con la plena conciencia de que jamás conseguiría recuperarlas.

—«A veces te odio por quererte tanto...» —masculló, aun a sabiendas de que odiar a quien se ama resulta más difícil que odiarse a sí mismo, pero como si el simple hecho de dar rienda suelta de tan pintoresca forma a sus angustias hubiera contribuido a liberarle de una pesada carga, se puso en pie y encaró decidido los últimos kilómetros que le separaban de la desértica península.

Llegó de noche y avanzó desconfiado por entre los altos médanos, llamando a gritos a Tristán Madeira y a aquellos miembros de la tripulación del *Sao Bento* cuyos nombres recordaba, pero no obtuvo más respuesta que el lúgubre ulular de una lechuza en celo, y el sollozar del viento muy cerca ya del alba.

A lo largo de la mañana descubrió los cadáveres de dos marinos a los que el escorbuto, la disentería o los malos tratos habían dejado tan sumamente debilitados, que no habían sido capaces de soportar la sed y la fatiga de tan larga caminata.

Luego, ya con el sol cayendo a plomo, distinguió bajo unos arbustos leñosos entre cuyas ramas habían colocado sus ropas en un absurdo intento de conseguir un poco de sombra, a poco más de una docena de sobrevivientes del *Sao Bento*, y cuando avanzó hacia ellos gritando que traía agua y los vio erguirse casi como cadáveres incrédulos, le alegró descubrir la altísima figura de Tristán Madeira, cuya extrema delgadez le hacía semejar ahora un alto cactus con la punta quebrada.

Constituían un triste espectáculo arrastrándose, gimiendo y alzando los brazos suplicantes, y tuvo que imponer toda su autoridad de hombre armado y el único que se encontraba en aceptables condiciones físicas, para evitar que se destrozaran en su afán por apoderarse de los pellejos de agua.

La repartió como mejor le permitieron las difíciles circunstancias, auxiliando a los más débiles cuya avidez por beber hacía que fuera más el preciado líquido que derramaban que el que llegaban a ingerir, y cuando advirtió que ya no quedaba más que apenas una cuarta parte del total, dio unos pasos atrás y blandió amenazante la espada impidiendo que nadie se acercara.

—¡Basta! —dijo—. Con esto tenéis para llegar al río que está al sur, pasado el istmo.

—Sólo un poco más, por favor... —suplicó el grumete tuerto que había permanecido hasta el último instante frente al moribundo Capitán—. Un último trago.

—¡He dicho que no! —se impuso el cabrero autoritario—. Aún confío en encontrar compañeros que necesiten agua más que vosotros. Descansad el resto del día, porque con la caída de la noche iniciaremos la marcha y el que se quede atrás estará definitivamente perdido.

En total fueron dieciocho tripulantes de la nao de Don Juan II de Portugal los que consiguieron poner pie en las costas de Tierra Firme, aunque la mayor parte lo hicieron tan quebrantados de alma y cuerpo y tan sin ánimo para seguir luchando, que apenas resistieron un par de semanas, y los que al fin sobrevivieron tampoco corrieron mejor suerte, ya que acabaron perdiéndose en la inmensidad de aquel nuevo Continente sin que jamás volviera a encontrarse rastro de ellos.

El escorbuto, la temida avitaminosis que causara tan terribles estragos entre la marinería de la época, los había dejado tan sin defensas tras las prolongadísimas y antinaturales travesías a que les había sometido su tiránico capitán, que exceptuando a un puñado de los más jóvenes que lograron a duras penas reponerse, el resto no fue capaz de resistir el violento choque con aquella Naturaleza hostil y exageradamente tórrida.

El canario *Cienfuegos* pareció comprender bien pronto que en esta ocasión no debía dejarse atrapar de nuevo por un sentimentalismo que no le conduciría más que al desastre, y tomando clara conciencia de la pesada rémora que significaban unos hombres que jamás le habían mostrado simpatía, decidió abandonarlos a su suerte en cuanto abrigó la seguridad de que ya no podía hacer nada útil por ellos.

Tan sólo se despidió del gallego Madeira, que pareció aceptar su marcha sin reproches, y que admitió a su vez que prefería mantenerse junto a los que habían sido durante tanto tiempo sus compañeros de fatigas, a lanzarse a la aventura de seguir al infatigable canario tierra adentro.

—Tú eres joven —dijo—. Y muy fuerte. En mi estado sé que no resistiría tu ritmo más de un día. Es mejor que me quede con ellos confiando en lo que quiera depararnos la Providencia. —Sonrió con amarga tristeza al tiempo que le estrechaba con fuerza la mano en un amistoso ademán de despedida—. Si he de serte sincero —añadió—, hace ya más de un año que considero que estoy viviendo de prestado.

Caía ya la noche, largas sombras se extendían sobre el infinito mar de dunas, y el gomero señaló con firmeza hacia delante.

—Ya sabes el camino: al sur encontrarás el istmo, sigue luego al oeste, y a unas tres horas de marcha alcanzarás el río. ¡Suerte!

Se alejó sin volver ni siquiera una vez la cabeza, temeroso de que su buen corazón le impulsara a convertirse en adalid de una causa perdida de antemano, y marchó hasta el amanecer todo lo aprisa que le permitía la fatiga, esforzándose por no pensar en los que quedaban atrás, concentrándose únicamente en salvar la vida y la de la muchacha que le aguardaba a la orilla del río.

Llegó a éste mediada la mañana, y lo que vio le dejó estupefacto, pues tras atravesar el muro de espesa vegetación que enmarcaba sus márgenes, se enfrentó de improviso a una veintena de aborígenes armados que observaban como hipnotizados a una Azava-Uluė-Ché-Ganvié que aparecía acuclillada contemplando cabizbaja la gran calabaza que habían colocado entre sus piernas.

—¿Qué diablos pasa aquí? —exclamó sin acabar de dar crédito a sus ojos—. ¿Quién es esta gente?

La negra alzó el rostro y sus inmensos ojos negros parecían a punto de anegarse en lágrimas.

—Aparecieron al alba —musitó con voz ronca—. En un principio creí que iban a matarme, pero se pasaron medio día frotándome y metiéndome en el agua como si trataran de despintarme... —Los señaló con un leve ademán de la cabeza—. No acaban de creer que soy negra natural, y al fin me han colocado aquí esperando a que orine.

—¡Pues orina!

—¡No puedo...! —sollozó la infeliz muchacha—. Estoy que me cago, pero no orino.

Cienfuegos observó con detenimiento los inescrutables rostros de los nativos que no parecían prestarle una especial atención, como si el hecho de determinar si los orines de la africana eran negros o amarillos concentrara por el momento todos sus pensamientos.

No vestían más que una delgada liana con la que se amarraban la punta del prepucio a la cintura, se pintaban el rostro con rayas de colores y se adornaban los lacios cabellos con plumas de papagayo, pero aunque exhibían largos arcos, su aspecto no resultaba en absoluto amenazador, sino que más bien parecían una pandilla de inocentes chiquillos fascinados por un desconcertante misterio que iba mucho más allá de su capacidad de raciocinio.

El gomero hizo intención de dirigirse al más emplumado de los guerreros, que era al parecer quien los comandaba, con la evidente intención de exigir la necesaria explicación a tan absurdo comportamiento, pero el «indio» se limitó a alzar el brazo ordenándole con ademán autoritario que tomara asiento aguardando acontecimientos.

Pasó casi una hora.

Como impasibles estatuas de sal los salvajes parecían no tener la más mínima prisa, y sus rostros de piedra apenas se inmutaban más que para parpadear de tarde en tarde o espantarse una mosca demasiado insistente.

Al fin, nervioso e incapaz de contenerse por más tiempo, el canario exclamó fuera de sí:

—¡Mea, coño!

La africana le dirigió una mirada de reconvención:

—No le riñas —replicó—. No te escucha. El miedo hace que lo tenga más cerrado que ostra en invierno.

—Pues como no lo hagas de una vez y se convenzan de que no orinas tinta, lo vamos a pasar mal.

—¿Crees que es eso lo que esperan?

—Probablemente. Jamás habían visto a una negra, han comprobado que no destiñes, y querrán averiguar si por dentro también eres negra... ¡Lógico!

—Empiezo a odiar tu sentido de la lógica.

Se trataba sin duda de una conversación absurda dadas las circunstancias, pero quizá su propia incongruencia contribuyó a que el nerviosismo que atenazaba a la aterrorizada dahomeyana cediera permitiéndole dar rienda suelta a una natural necesidad fisiológica demasiado tiempo retenida y llenar hasta rebosar generosamente la gran calabaza, lo que provocó una ola de murmullos entre la nutrida fila de atentos espectadores.

Aquel que parecía ser el jefe, se puso entonces en pie, tomó la calabaza, estudió su contenido, lo olió e incluso introdujo un dedo para convencerse de su textura y calor, y concluyó por derramar una parte para que sus compañeros pudieran cerciorarse de que se trataba de puro y simple maloliente pis humano.

Por último, colocó el recipiente en el suelo, se apartó un par de metros y tomando una tea encendida que otro nativo le entregaba, la arrojó dentro.

Como era de esperar la tea se apagó, lo que trajo aparejado que una amplia sonrisa apareciera en el rostro de la mayor parte de los salvajes.

—¡No «Mene»...! —se repetían el uno al otro con aire satisfecho—. ¡No «Mene»!

—¿Qué dicen? —inquirió la africana desconcertada—. ¿De qué demonios están hablando?

—No tengo ni la menor idea... —se vio obligado a admitir el gomero—. Apenas les entiendo.

Efectivamente, aquellos nativos, aunque de color y rasgos semejantes a los naturales de Cuba o Haití, no parecían tener en común con ellos el idioma, y tan sólo conocían algunos términos del dialecto «azawan» y menos aún de la gutural y agresiva lengua de los caribes o caníbales, cuya sola mención les obligaba a enseñar los dientes engrifándoles curiosamente el lacio cabello como gatos furiosos.

Por señas y medias palabras, indicaron que pertenecían a la tribu de los «cuprigueri», señalando sin el menor asomo de hostilidad que debían acompañarles, para iniciar de inmediato una tranquila marcha río arriba, marcha en la que se movían con tanta gracia y agilidad como una divertida familia de alegres simios saltarines.

Hacían sin embargo continuos altos en el camino apartándose unos metros para asaetear un pez en los remansos de las aguas, derribar de un certero flechazo un mono aullador, o ir llenando largas redes de frutos silvestres, todo siempre entre risas y chanzas, comportándose más como una alegre excursión de despreocupados chicuelos, que como una feroz partida de guerreros.

No obstante, con las primeras sombras de la noche desaparecieron de improviso, hasta el punto de que el desconcertado isleño y la aún inquieta *Azabache* se detuvieron a observarse asombrados por el inconcebible hecho de que se habían quedado completamente solos a orillas del manso río.

—¿Dónde están? —inquirió la africana con voz temblorosa—. Se los tragó la tierra.

—No —replicó *Cienfuegos* recordando las enseñanzas de su viejo amigo Papepac—. Siguen aquí, en torno nuestro, ocultos entre los matojos o en las copas de los árboles, invisibles para cualquier posible enemigo, pero están.

—¿Por qué lo hacen?

—No lo sé, pero sus razones tendrán, y no creo que estuviera de más imitarles... Tal vez los caníbales lleguen a veces hasta estas regiones.

—¿En realidad esos caribes son tan crueles? —Ante el mudo gesto de asentimiento, añadió pensativa—: En Dahomey se contaban historias sobre salvajes de tierra adentro que comían seres humanos, pero que lo hacían porque de ese modo adquirían las virtudes de sus víctimas, no por el simple hecho de alimentarse. —Señaló con un amplio gesto a su alrededor—. Aquí sobra comida.

—Ignoro por qué lo hacen en realidad —admitió el cabrero—. Pero lo cierto es que vi con mis propios ojos cómo devoraban a dos de mis compañeros, y eso es algo que nunca olvidaré, por lo que será mejor que busquemos un rincón donde escondernos.

Lo hicieron aprovechando un rojo crepúsculo en el que podría creerse que el universo ardía por los cuatro costados dispuesto a consumirse y volver a la nada, y no pudieron por menos que extasiarse ante la belleza de aquel atardecer inimitable, aunque más aún les maravilló el hecho, a todas luces portentoso, de que incluso cuando ya el cielo y la tierra no eran más que tinieblas, un punto del horizonte continuase enrojecido y llameante, obligando a creer que un gigantesco fuego inagotable ardía en la distancia.

Lo observaron largo rato sin apenas dar crédito al extraño portento, puesto que lo más sorprendente residía en el hecho de que no se trataba de un incendio que avanzara extendiendo su frente, sino que por el contrario la enorme llama se mantenía inmóvil hora tras hora iluminando la bóveda del cielo con un mágico fulgor jamás imaginado.

Cienfuegos durmió inquieto, y tantas veces como abrió los ojos, tantas veces observó meditabundo el insólito espectáculo, por lo que apenas la primera claridad del día hizo su aparición allá en levante, buscó al más madrugador de los aborígenes que defecaba junto a un árbol e inquirió apuntando hacia la leve columna de humo que se diluía en el aire:

—¿Qué es aquello?

El «cuprigueri» no pareció comprender a qué se estaba refiriendo, y fueron necesarios muchos aspavientos para que al fin concluyera de hacer sus necesidades, y tras echarse un puñado de arena al ano, replicara con absoluta naturalidad.

—«Mene.»

—¿«Mene»?

El indígena asintió convencido:

—«Mene.»

Cienfuegos regresó junto la africana y tomando asiento a su lado masculló malhumorado:

—O yo me he vuelto muy bruto, o para esta gente todo es «Mene» o «No Mene». ¿Qué coño significa?

Como nacidos del suelo, los nativos habían ido haciendo su aparición uno tras otro, y pronto reiniciaron la marcha, abandonando a media mañana las márgenes del río en dirección a la columna de negro humo que ensuciaba apenas un cielo sin nubes.

Contra lo que el canario imaginara en un principio, cuando se aproximaron llegó a la conclusión de que no se trataba de un volcán como aquel Teide que en ocasiones lanzaba al cielo llamaradas visibles desde la costa occidental de La Gomera, sino que la llama surgía en mitad de la llanura recalentada por el sol, tan compacta, continua y sin la menor intermitencia, que desde media legua de distancia se escuchaba su amenazador rugido.

El grueso chorro de fuego se elevaba veinte metros sobre el nivel del suelo, y un olor fuerte y acre lo llenaba todo dificultando la respiración.

—Parece como si el infierno quisiese escapar por ese agujero —musitó *Azabache* impresionada—. Nunca vi nada igual.

Los nativos se habían aproximado parloteando hasta el lugar en que ya el calor impedía continuar sin correr el riesgo de abrasarse, y observaban ahora el curioso fenómeno como quien asiste desde la orilla a un tranquilo amanecer sobre un mar que no ofrece el menor peligro.

Pero de pronto, y sin ponerse de acuerdo, comenzaron a dar grandes saltos en lo que pretendía ser una especie de danza ritual, al tiempo que entonaban una monótona cantinela de la que tan sólo destacaba la sempiterna palabra «Mene» repetida una y otra vez casi obsesivamente, y *Cienfuegos* tomó conciencia de que por años que viviera jamás olvidaría el espectáculo que conformaban aquellos semidesnudos «cuprigueri» agitando sus largos arcos y a punto de achicharrarse, que jugaban a aproximarse más y más al límite del fuego, desdibujándose a causa del calor que enrarecía el aire.

¿De dónde surgía tan portentosa llama y de qué se alimentaba?

¿Qué inmensa fuerza interna debía poseer para mantenerse activa durante días naciendo de un simple hueco en mitad del monótono chaparral?

Recordó que «Maese» Benito de Toledo le contó en cierta ocasión que el judío Moisés había asistido en el desierto del Sinaí al increíble hecho de que una zarza ardiera durante horas antes de que Dios le entregara las «Tablas de la Ley», y no pudo por menos que preguntarse si no estaría asistiendo en aquellos momentos a un milagro semejante, y tal vez el desconocido dios de aquellas tierras estuviese también en condiciones de obrar el prodigio de hacer nacer el fuego eterno de la nada.

«Como se me aparezca y me entregue unas nuevas "Tablas de la Ley", no sé a quién carajo voy a enseñárselas... —musitó para sus adentros—. No creo que ni la negra ni estos "indios" me hicieran el más puñetero caso.»

Cuando una hora más tarde, cansados, enrojecidos por el calor, chamuscados y embadurnados de una especie de aceitoso hollín que les cubría todo el cuerpo, los bailarines decidieron continuar al fin su camino, la dahomeyana se volvió a contemplar por última vez la impresionante llama y comentar meditabunda:

—Como en verdad el infierno sea eso, será cuestión de portarse mejor...

El gomero ni siquiera respondió, puesto que aún se

encontraba desconcertado por un fenómeno natural que desafiaba abiertamente su probada capacidad de raciocinio, por lo que se limitó a lanzar un leve gruñido e iniciar la marcha en pos de los nativos.

Aún continuaba dándole vueltas a la mente tratando de hallar una explicación que justificase la anormal existencia de aquel fuego, cuando a media tarde alcanzaron las márgenes de una pequeña laguna de aguas negras, grasientas y pestilentes, que el jefe de los nativos señaló con un ademán de la cabeza al tiempo que exclamaba como si con ello todo quedase definitivamente aclarado:

—¡«Mene»!

—¿«Mene»...? —se asombró el canario—. ¡No me jodas más con tanto «Mene»...! Ya está bien.

Pero el otro, que naturalmente no había entendido una palabra, se limitó a volverse a uno de sus guerreros y ordenar:

—¡«Totuma»...! «Totuma Mene.»

El aludido se apresuró a descolgarse de la cintura una calabaza semejante a la que había servido para recibir los orines de *Azabache*, y aproximándose a la laguna, la llenó del espeso, oscuro y apestoso líquido, acudiendo a colocarlo a los pies del gomero.

Éste lo estudió incrédulo, puesto que no se trataba de agua, vino, sangre, aceite o cualquier otro elemento de que tuviera previamente noticias, y cuando la dahomeyana se acuclilló a su lado, se limitó a comentar:

—Por lo visto era esto lo que imaginaban que ibas a orinar: agua podrida.

—¡Pues qué gracia! —replicó la otra molesta.

Al poco, los guerreros le indicaron que se apartaran, y lanzado una tea encendida a la calabaza provocaron una pequeña explosión que hizo que tanto el isleño como la negra dieran un salto atrás visiblemente alarmados.

Al advertir cómo aquella oscura «agua podrida» ardía hasta agotarse, *Cienfuegos* comprendió al fin que la inmensa llama que tanto le había impresionado no tenía otro origen que un pozo de aquel apestoso «mene» al que tal vez un rayo había prendido fuego accidentalmente.

¿Pero qué era en realidad «Mene» y de dónde salía?

Largas, difíciles y prolijas explicaciones llevaron al gomero a la conclusión de que, según los aborígenes, el «Mene» no era otra cosa que «Orines del Diablo» que surgían de lo más profundo de los infiernos; un veneno que contaminaba los ríos y las fuentes, volvía estéril las tierras, mataba a los animales y abrasaba a las gentes.

A ello se debía sin duda el hecho de que al descubrir junto al río a una insólita mujer de color negro, imaginaron que se trataba de «La Esposa del Demonio», que acudía a destruir una de las pocas corrientes de agua auténticamente limpias que aún perduraban en la región.

Pero pese a tan convincentes explicaciones, el analítico espíritu del canario continuaría preguntándose, a todo lo largo de su vida, por qué extraña razón aquel «agua podrida» que nacía de la tierra ardía con más fuerza y más calor que el más refinado de los aceites.

Y es que moriría sin saber que su eterno deambular le había conducido aquel día de finales de mil cuatrocientos, a los que cinco siglos más tarde serían conocidos como los fabulosos yacimientos de petróleo del noroeste venezolano.

Alonso de Ojeda estaba furioso.

Furioso una vez más con su Excelencia el Almirante Don Cristóbal Colón, ya que según su punto de vista de noble capitán español, no resultaba en absoluto admisible la infame treta de que se había valido el astuto Virrey de las Indias para satisfacer la codicia de sus acreedores en la Corte, burlando las severas normas establecidas por sus Católicas Majestades, Isabel y Fernando.

Éstos, alarmados por las noticias que les llegaban sobre el trato que se dispensaba a los indígenas en el Nuevo Mundo, habían dictado estrictas órdenes puntualizando que debía otorgarse a los aborígenes los mismos derechos y deberes que a cualquier otro súbdito del reino, pero como existía desde antiguo la costumbre de que todo soldado que hubiera sido apresado en combate podía ser vendido como esclavo, Colón se había valido de tan sucia triquiñuela para enviar a quinientos desgraciados «salvajes» a los mercaderes de carne humana de Córdoba y Sevilla.

Ojeda, al igual que la totalidad de los habitantes de «La Española», tenía plena conciencia de que muy pocos de tales cautivos habían sido auténticos guerreros de los que combatieran junto al feroz cacique Canoabó, y sabía también, sin lugar a dudas, que las casi cien mujeres jóvenes que formaban parte del «envío», habían sido capturadas en tiempos de paz por los esbirros de los hermanos Colón, pero como la autoridad de estos últimos resultaba por el momento indiscutible, no le quedaba más remedio que limitarse a maldecir y dar rienda suelta como buenamente podía a su incontenible ira y frustración.

Tan sólo la enamorada princesa Anacaona y su fiel amiga la alemana Ingrid Grass, ex vizcondesa de Teguise, conseguían hasta cierto punto consolarle cuando acudía a ellas entristecido por el trágico fin de tantos inocentes, y desalentado por tener que continuar siendo obligado testigo del infinito número de iniquidades que se estaban llevando a cabo en nombre de Dios, la Civilización y la Corona.

Y es que por el momento no le quedaba ni tan siquiera la posibilidad de tener un desesperado arrebato de valor arriesgándose a acabar en el cadalso por oponerse al omnipotente Virrey, ya que éste había emprendido meses atrás un segundo viaje a España, por lo que le constaba que enfrentarse a su ladino hermano Bartolomé o al apocado Diego no conducía a parte alguna y era tanto como adentrarse en una ciénaga hedionda de cuyo fango nada bueno cabía esperar.

—Tantas empresas maravillosas como podrían llevarse a cabo aquí... —se lamentaba—. Y andamos sumidos en un piélago de mezquinos intereses, pleitos absurdos, y una sucia lucha por el poder que acabará pudriéndonos a todos...

El más profundo descontento era por aquellos tiempos norma tan general en la colonia, que tanto se lamentaban la inmensa mayoría de los españoles por haber tenido la nefasta ocurrencia de atravesar el océano en busca de otras tierras, como los nativos de que lo hubieran hecho, y de no darse el caso de que los Colón y un grupúsculo de los más poderosos mantuvieran intacta la esperanza de obtener pingües beneficios personales de la malhada empresa, lo más probable hubiera sido que la práctica totalidad de los desgraciados expedicionarios, hubieran emprendido de inmediato el regreso a su lugar de origen.

«Quiera Dios devolverme a Castilla», era, por ello, la frase más escuchada entre los españoles, pero no había en el puerto naves que les permitiesen llevar a cabo tal deseo, ni parecían sus gobernantes dispuestos a permitírselo.

Para tales gobernantes, la mayor preocupación se centraba por el momento en la difícil empresa de reunir las ingentes cantidades de oro que tan alegremente habían prometido en su día a los banqueros de la gran aventura, y en la —a todas luces imposible empresa— de conseguir que los nativos se decidieran a trabajar.

Fue este último punto el que más quebraderos de cabeza había de proporcionar a los españoles a su llegada al Nuevo Mundo, ya que acostumbrados desde siempre a la idea de que el trabajo era algo necesario, deseado y casi santificador que ennoblecía al hombre, quedaron absolutamente estupefactos ante el desacuerdo total de los indígenas, quienes consideraban que habían venido al mundo para tomar el sol y disfrutar de la vida, limitando por tanto su esfuerzo al mínimo imprescindible para llenar el estómago a diario.

Su descarada resistencia a «Dar ni tan siquiera un palo al agua», por mucho que se le amenazase o prometiese, alcanzaba extremos tan inauditos que muy pronto los invasores llegaron a la conclusión de que era aquélla una raza de la que jamás se conseguiría sacar provecho alguno, por lo que si se pretendía que las tierras produjesen riqueza y las minas entregasen su oro, se hacía necesario importar mano de obra cualificada de allende el océano.

Ésa era, sin duda, una de las razones por las que el Almirante había decidido emprender viaje por segunda vez a España, ya que a los cuatro años justos de haber descubierto Haití, se encontraba plenamente convencido de que más peligro ofrecía la resistencia pasiva de los «indios» que una auténtica rebelión armada, lo cual significaba que si no obtenía de los Reyes nuevos colonos con los que sustituir a los difuntos o los que habían vuelto, sus sueños de gloria corrían riesgo de quedar en agua de borrajas.

—Si no fuera porque Bonifacio y yo nos deslomamos trabajando... —se veía obligada a reconocer Ingrid Grass cuando se mencionaba el tema—, la mayoría de los animales estarían muertos, y las cosechas perdidas, porque lo cierto es que en todos estos años no he conseguido ni un solo peón capaz de realizar una labor mínimamente aceptable tres días seguidos. Les divierte aprender, pero cuando saben lo que tienen que hacer, ya no lo hacen.

—¡Oblígueles! —señalaba en esos casos su buen amigo, el converso Luis de Torres—. Si se han comprometido a algo y le han hecho perder tiempo enseñándoles, puede obligarles a cumplir lo pactado.

—¿Cómo? —se sorprendía la alemana—. Si les has pagado por adelantado, se largan a la selva, y si aún no les has dado nada, se limitan a encogerse de hombros, renunciar a lo que les debes y largarse igualmente. ¡Son como niños...!

Eran como niños, en efecto, pero unos niños que veían cómo se entraba a saco en su mundo y se violaban sus costumbres, incapaces de entender por qué desconocida razón los recién llegados se empeñaban en complicarlo todo haciendo dura y difícil una existencia que en aquel paraíso terrenal había sido siempre sencilla y agradable.

Construir y destruir parecía constituir a su modo de ver el único y demencial objetivo de aquellos extraños individuos que se cubrían con unas estrafalarias vestimentas que no servían más que para hacerles sudar y conferirles un aspecto ridículo, ya que con la misma furia se lanzaban a edificar una inmensa cabaña que el primer «huracán» arrasaría, como se afanaban en desbrozar un bosque o convertir en albañal la antaño límpida laguna.

—Aquí hay espacio, comida y agua para todos... —señaló la princesa Anacaona en el transcurso de uno de los tranquilos paseos por la playa que solía dar con Ingrid Grass a la caída de la tarde—. ¿Por qué no compartirlo viviendo como hemos vivido hasta ahora, en lugar de afanarse por conseguir un oro que a nadie alimenta, o esclavizar a quienes nacieron libres?

—Son costumbres —replicó entristecida la alemana que no solía encontrar respuestas convincentes a las demandas de la hermosa *Flor de Oro*—. Allí de donde venimos, la vida no suele ser tan cómoda.

—¿Por qué aceptáis entonces lo que ofrecemos de positivo, negándoos a admitir que siempre hemos estado mucho más cerca que vosotros de la felicidad?

—Porque nuestra religión enseña que toda felicidad que no esté directamente ligada a la contemplación divina es un pecado y un espejismo inconsistente.

—¿Y tú lo crees? —se asombró la indígena.

—No, desde luego —admitió la otra convencida—. Para mí la felicidad es estar junto a *Cienfuegos*, del mismo modo que para ti lo es estar junto a Alonso de Ojeda. Pero no podemos pretender que todos opinen igual, puesto que no existen muchos *Cienfuegos* ni muchos Ojedas.

—Por desgracia... —admitió la indígena, aunque al instante se detuvo, la miró de frente y añadió tristemente—: Ya no me ama.

—¿Cómo has dicho...? —inquirió su amiga creyendo haber oído mal.

—Que Alonso ya no me ama —repitió Anacaona con voz dolida—. Continúa mostrándose afectuoso y apasionado, pero yo sé que aunque se esfuerce por simular que vive pendiente de mí, se encuentra distraído y su mente vuela a Castilla demasiado a menudo.

—No vuela a Castilla —le contradijo la ex vizcondesa—. Vuela en dirección opuesta, hacia todas esas tierras que se abren frente a nosotros, puesto que un espíritu tan aventurero como el suyo se rebela ante la idea de permanecer inactivo, testigo obligado de mil intrigas palaciegas y esclavo sumiso de una burocracia asfixiante, mientras intuye que se puede alcanzar la gloria siguiendo hacia el oeste.

—¿Quiere eso decir que no le basta conmigo? Si es oro lo que busca, yo le ofrecí todo el que pudiera desear y se limitó a arrojarlo al mar.

—Para los hombres como Ojeda, la gloria no está en el oro, ni en conquistar un imperio por rico y poderoso que éste sea...: la gloria está en intentarlo.

—¿Por qué?

—¿Por qué... qué?

—¿Por qué vuestros hombres encuentran mayor felicidad en correr riesgos y pasar calamidades persiguiendo un estúpido sueño a menudo inalcanzable, que en limitarse a disfrutar de la vida y de la mujer que aman como hacen los nuestros?

—Por ambición.

—Ésa es una palabra que me niego a aprender y que nunca debisteis permitir que atravesara el océano —sentenció la princesa—. Causa más daño que vuestras espadas y bombardas, e incluso que vuestras enfermedades, porque de las espadas, bombardas y enfermedades tal vez aprendamos a defendernos, pero me consta que contra vuestra desmesurada ambición jamás podremos hacer nada.

Ingrid Grass, a la que ya todos conocían más bien por su nueva identidad de *Doña Mariana Montenegro*, tampoco encontró en esta ocasión argumentos con los que rebatir los puntos de vista de la haitiana, ya que en el fondo los compartía y estaba desde tiempo atrás secretamente convencida de que la desmesurada ambición de los Colón y el pequeño grupo de sus secuaces, acabaría por enfangar la magna aventura del descubrimiento de un Nuevo Mundo.

Pocos días más tarde pudo tener una nueva e irrebatible prueba de hasta qué punto la sed de oro de los gobernantes de Isabela prevalecía sobre cualquier otra consideración, ya que el destino, o tal vez su bien ganada fama de mujer bondadosa la eligieron como involuntario instrumento de una de las más sucias componendas que tuvieron lugar por aquel tiempo en la colonia.

De naturaleza compasiva, y habituada casi desde que llegara a la isla a servir de paño de lágrimas a cuantos acudían a exponerle sus cuitas o intentar hacer un poco más llevadera la amarga soledad y la profunda tristeza que producía la larga separación de la familia, había llegado a experimentar tiempo atrás un sincero aprecio por un hosco y retraído aragonés llamado Miguel Díaz, quien, pese a su buen corazón y generoso talante, estaba considerado un pendenciero sumamente peligroso en cuanto ingería cuatro copas.

El alcohol ejercía sobre Miguel Díaz el efecto de una pócima diabólica liberando de forma incontrolable sus peores instintos, por lo que una malhadada noche de amargo recuerdo, el avinagrado cariñena le nubló por completo el entendimiento impulsándole a sacar de improviso una inmensa navaja y asestar dos alevosas puñaladas a un infeliz murciano que no había cometido otro delito que rogarle que bajara un tanto el tono de voz.

Según la ley de los hermanos Colón, un acto semejante ameritaba de inmediato la horca o una inapelable condena a trabajos forzados de por vida, razones suficientes para que el impulsivo aragonés decidiera poner de inmediato tierra por medio, con la intención de unirse a alguno de los grupos de desertores y facinerosos que se habían establecido en diferentes puntos de la isla o habían optado por afincarse en otras no muy lejanas.

Hacía ya más de un año que tuviera lugar el sangriento incidente, y pese a que el murciano apuñalado había conseguido sobrevivir, nadie confiaba en volver a ver por Isabela a Miguel Díaz, ya que la condena seguía vigente y Bartolomé Colón, a la sazón Gobernador de la colonia en ausencia del Virrey, no era hombre que destacara por su comprensión o su generosidad a la hora de conceder indultos.

La sorpresa de la alemana estaba por lo tanto más que justificada, cuando una calurosa noche de agosto el aragonés surgió como una sombra ante su cabaña.

—Me estáis comprometiendo... —le hizo notar pasado el primer momento de desconcierto—. Los Colón me aborrecen y tan sólo necesitan una disculpa para enviarme de regreso a Europa. Pero lo peor no es eso: lo peor es que si os atrapan os ahorcarán de inmediato por tentativa de asesinato y rebeldía.

—Lo sé... —admitió el recién llegado tomando asiento al otro lado de la tosca mesa de la estancia que hacía las veces de salón—. Pero no creáis que en esta ocasión actúo impulsivamente. Estoy seguro de que este paso es por mi bien... y por el vuestro.

—No alcanzo a entenderos.

—Lo haréis si me concedéis tan sólo unos minutos —prometió el aragonés seguro de sí mismo—. Habéis de saber que durante este año que he pasado en el exilio, me han ocurrido más cosas que en toda mi existencia anterior, pero como no es cuestión de aburriros con mis andanzas, me limitaré a señalaros que tras mucho vagar por selvas y montañas, vine a dar con mis huesos en un poblado indígena del sur de la isla; un lugar maravilloso en la desembocadura de un ancho río, con buen puerto, clima agradable, tierras fértiles y los nativos más bondadosos y hospitalarios que imaginarse pueda... —Hizo una pausa que aprovechó para beber un largo trago de agua y continuar en idéntico tono—. Tuve luego la enorme suerte de que la viuda del Cacique, una mujer no excesivamente agraciada pero dulce y apasionada como pocas, decidiera desposarme, por lo que vine a convertirme en una especie de «Príncipe Consorte» de un pequeño reino encantador.

—Eso es magnífico... —admitió la alemana—. ¿A qué arriesgar en ese caso la vida, volviendo aquí?

—A que no puedo ser feliz sabiéndome fugitivo de la justicia, despreciado por los míos, y reo de muerte, por lo que he pensado en ofrecerle a los Colón la oportunidad de fundar a orillas del Ozama, y en un lugar a todas luces perfecto, una nueva ciudad que venga a sustituir a esta malhadada Isabela.

—Conociendo a Bartolomé Colón dudo que se digne concedernos gracia alguna, y mucho menos que acepte vuestro ofrecimiento borrando de un plumazo cuanto se ha edificado aquí, que ha costado ya miles de vidas.

—Lo hará —insistió el aragonés con la terquedad propia de los de su tierra—. El secreto está en saber emplear los argumentos que pienso daros.

—¿Y son...? —inquirió ella en tono un tanto irónico o burlón.

Miguel Díaz echó mano a la bolsa que colgaba de su cintura y dejó caer su contenido sobre la áspera superficie de la mesa, al tiempo que replicaba con firmeza:

—¡Éstos!

Ingrid Grass no pudo por menos que lanzar una leve exclamación de asombro al distinguir los cinco enormes pedruscos que habían quedado bailoteando sobre la gruesa tabla, y de las que la temblorosa llama de una lamparilla de aceite extraía portentosos reflejos.

—*Mein Gott*! —exclamó recurriendo sin querer a su lengua materna—. ¡Jamás vi nada igual! ¿Es oro puro?

—El más puro que pueda existir. Mi buena esposa Catalina... —Miguel Díaz sonrió levemente al recordarla—, la llamo así porque su verdadero nombre resulta impronunciable, me condujo a las minas de sus antepasados, distantes unas seis leguas de la desembocadura del río, y os aseguro que viendo lo que vi, no me extrañaría que fuera de allí de donde el Rey Salomón obtuvo su fortuna. —Empujó casi despectivamente con el dedo índice una de las pepitas obligándola a rodar por la mesa—. Esto no es más que una minúscula muestra de lo que allí existe...

Doña Mariana la tomó para sopesarla cerciorándose de su valor, y tras permanecer unos instantes meditabunda, inquirió roncamente:

—¿Os dais cuenta de lo que semejante descubrimiento significa, Miguel...? Esto es lo que en verdad Colón venía buscando y lo que asentará definitivamente a los españoles en esta parte del mundo.

—Yo lo único que quiero que signifique es mi perdón —replicó calmosamente el aragonés—. Soy muy feliz con Catalina, pronto nacerá mi primer hijo, y antes de venir recogí oro suficiente como para no tener problemas el resto de mi vida... —Se encogió de hombros con gesto fatalista—. Podría apoderarme de las minas y convertirme en uno de los hombres más ricos del mundo, pero ¿de qué me serviría si he de vivir eternamente fugitivo? Estoy dispuesto a hacer ricos a los Colón, los Reyes, el sucio murciano al que rajé en un mal momento, e incluso a vos, si conseguís que pueda volver a jugar una partida de naipes con mi gente.

—Lo intentaré... —admitió al rato la alemana—. Y lo intentaré, no por el oro que estáis prometiendo, sino porque en el fondo os aprecio a pesar de lo bruto que llegáis a ser a veces —Alzó la mano interrumpiendo sus muestras de agradecimiento, y añadió—: Pero lo haré con una sola condición...

—¿Y es...?

—Que juréis solemnemente por vuestra esposa, vuestro hijo que está al nacer, y yo misma, que jamás volveréis a beber.

—Lo haré aunque no lo estimo necesario, Señora... —replicó muy serio el otro—. Hace meses que me juré a mí mismo que me cortaría un dedo por cada vaso de vino que tomara, y conociéndome os consta que lo cumpliría a rajatabla. —Mostró sus dos manos intactas—. No ha sido necesario, ni nunca lo será.

—De acuerdo entonces —aceptó Ingrid Grass dando por concluida la charla—. Mañana le pediré una audiencia a Don Bartolomé para exponerle vuestros deseos. —Se encogió de hombros con gesto fatalista—. Confío en que me reciba.

El otro tomó uno de los pedazos de oro y lo lanzó al aire atrapándolo luego con notable habilidad.

—Esta llave os abrirá las puertas —dijo—. Pero tened algo muy presente: La condición que impongo para entregar las minas, aparte, claro está, del indulto total, es que la Capital de la isla deberá trasladarse a orillas del Ozama para que ningún español vuelva a morirse de asco en esta cochiquera.

—Dudo que acepte —replicó ella con naturalidad—. Lo dudo mucho.

Pero *Doña Mariana Montenegro* demostró en esta ocasión que valoraba en muy poco la ambición y la sed de oro de los Colón, puesto que en cuanto le mostró al secretario privado de Don Bartolomé el contenido de la bolsa, éste le hizo pasar a un lujoso saloncito, dejándole a solas con un individuo de color cetrino, aire astuto y aspecto inquietante, que pareció transformarse en el paradigma de la amabilidad y la simpatía a partir del instante en que colocó sus largas y afiladas manos sobre el preciado metal.

—¡Al fin! —exclamó alborozado—. Estaba seguro de

que algo así tenía que existir, pero empezaba a desesperar de encontrarlo. ¿De dónde lo habéis sacado?

Prudentemente, temiendo a cada instante asistir a un estallido de ira del temperamental Gobernador que tantas veces había dado claras muestras de su difícil carácter, la hermosa germana fue exponiendo con notable diplomacia la razón de su visita, y al concluir no pudo por menos que entreabrir la boca en una expresión auténticamente estúpida, al escuchar cómo su interlocutor replicaba en el acto:

—¡De acuerdo!

—¿De acuerdo con qué?

—Con todo.

—¿Con todo? —se asombró.

—Con todo —insistió el mayor de los Colón—. No se me escapa que ese oro es lo que necesitamos para consolidar nuestra estancia aquí y financiar nuevas expediciones en busca del Gran Kan. Y por otro lado, mi hermano, el Virrey, me pidió antes de emprender viaje a España que comenzara a buscar un nuevo emplazamiento para la Capital ya que éste resulta a todas luces ilógico e insalubre... ¿Cuál mejor que en las proximidades de esas fabulosas minas? —Sonrió ladinamente—. Hablaré con el murciano para que retire la denuncia a cambio de una buena suma. —Se puso en pie casi de un salto—. Volved mañana y tendréis firmado el indulto y un documento que acreditará un dos por ciento de todo cuanto se obtenga para Miguel Díaz, y un medio por ciento para vos... —Le besó la mano gentilmente al tiempo que la acompañaba hasta la puerta—. Si ese bendito aragonés no exagera, a partir de este momento podéis consideraros una dama muy rica... —concluyó—. ¡Muy, muy rica!

A partir de media mañana el calor se volvía absolutamente insoportable.

Incluso los resistentes «cuprigueri» habituados desde el día en que nacieron a tan tórridas temperaturas, se sentían al parecer incapaces de soportar el agobiante bochorno, por lo que se dedicaban a buscar un escondido refugio a la sombra, desapareciendo de la vista a plena luz con casi tanta rapidez y habilidad como solían hacerlo con la llegada de las sombras.

Azabache y *Cienfuegos* tomaban entonces asiento bajo una acacia jugando a descubrir el camuflaje que había adoptado cada uno de ellos, sin que por lo general consiguieran localizar a más de cuatro pese a que tuvieran plena conciencia de que se ocultaban en un radio de no más de quinientos metros de distancia.

—¿Qué es lo que pretenden? —inquirió el tercer día la muchacha, aunque a decir verdad no se la advertía en absoluto inquieta por su incierto destino—. ¿Dónde nos llevan?

—A su poblado, imagino —fue la respuesta del canario—. Supongo que en toda su historia jamás habrán hecho un hallazgo semejante y querrán exhibirnos como a monos de feria... ¿Tienes miedo?

—¿Miedo...? —replicó la africana sorprendida—. No. En absoluto. —Hizo un significativo gesto a su alrededor y añadió sonriendo humorísticamente—: Me encuentro aquí, en el centro de un horno, negra entre blancos y en manos de unos salvajes desnudos y emplumados que tal vez nos conviertan en chuletas, pero aun así debo admitir que no siento el más mínimo miedo. ¿Lo tienes tú?

—Me han ocurrido tantas cosas en los últimos años, que esto casi se me antoja un paseo campestre —admitió el gomero en tono abiertamente fatalista—. Hace tiempo que decidí dejar de preocuparme y lo único que echo de menos es un buen tabaco y mi ajedrez.

—Nunca entenderé esa afición a echar humo o pasarse horas delante de un tablero. Yo sólo sé jugar a tres en raya.

Sabía en efecto, y su diabólica habilidad llegaba a tal punto que, pese a ser sin duda infinitamente más inteligente que ella, el infeliz isleño jamás consiguió ganarle una sola partida, lo cual acababa por sacarle de sus casillas poniéndolo a menudo de un humor de perros, lo que obligaba a estallar en sonoras carcajadas a la despreocupada dahomeyana.

Como no poseían nada en absoluto, la apuesta era siempre un sonoro coscorrón, y hubo días en que al pelirrojo cabrero acababa doliéndole la cabeza de tanto recibirlos, y el alma al advertir cómo los divertidos indígenas celebraban ruidosamente cada victoria de la negra.

—¡No es posible...! —mascullaba una y otra vez mordiendo las palabras—. ¡No es posible! Tienes que hacer trampas...

Pero la única trampa consistía en el hecho de que la africana había logrado inculcarle tal falta de confianza en sí mismo en todo cuanto se relacionaba con el estúpido juego, que el desgraciado canario concluía por atolondrarse y acabar siempre moviendo la piedra más inoportuna.

Por su parte, el largo viaje, sin rumbo fijo y sin meta aparente, constituía una especie de despreocupado vagabundeo por unas tierras en las que amplias zonas de vegetación xerófila alternaban con pequeñas manchas selváticas, tórridos desiertos salpicados de cactus, e infinidad de lagunas a menudo contaminadas por la sucia presencia de un «Mene» que destruía toda forma de vida, y en el transcurso de las dos semanas que patearon de ese modo la región sin más preocupación que encontrar agua clara, cazar loros y monos o atiborrarse hasta casi reventar de huevos de tortuga, apenas distinguieron más que media docena de escurridizas familias de indígenas de aspecto escuálido que se perdían de vista de inmediato entre la maleza, y cuyos «poblados» se reducían a un tosco enrejado de cañas de una sola vertiente recostado contra un tronco.

Muy al sur se vislumbraba una agreste cadena de montañas, pero los guerreros jamás hicieron intención de aproximarse a ellas, y cuando *Cienfuegos* indagó la razón por la que las evitaban, le hicieron comprender que la sierra pertenecía a una tribu enemiga de la que más valía mantenerse a distancia.

—¿«Caribes»? —quiso saber el gomero—. ¿«Caníbales»?

—No «caribes». No «caníbales». «Motilones».

Poco a poco, el isleño comenzaba a encontrar más y más puntos de contacto entre el dialecto de aquella partida de jóvenes guerreros, y las más rudimentarias formas de expresión del idioma arauco o azawan que hablaban los naturales de Cuba y Haití, por lo que llegó un momento en que estuvo en condiciones de entender, aunque con una cierta dificultad, cuanto intentaban explicarle.

Al propio tiempo la negra Azava-Ulué-Ché-Ganvié ponía igualmente de su parte un encomiable empeño en aprender la lengua de aquellas buenas gentes, y cabía suponer que la muchacha había aceptado, con desconcertante naturalidad, la posibilidad de que aquél constituyese su mundo y su futuro de allí en adelante.

—Al fin y al cabo... —señaló un atardecer en que se extasiaba junto a *Cienfuegos* ante la inimitable belleza de las puestas de sol en aquella perdida región del universo—, mi único hogar es aquel en el que duermo, y mi única tierra la que piso. Ya apenas recuerdo el lugar en que nací, y lo único que deseo es olvidar el barco en que me crié. Aquí estoy bien y sé que estaré aún mejor en cualquier parte.

—Yo añoro La Gomera.

—Tú lo que añoras es a la rubia —fue la burlona respuesta—. ¿Por qué no dejas que te prepare un filtro mágico que te permita olvidarla? Vivirías más tranquilo.

—¿Valdría la pena vivir sin recordarla? —Hizo un gesto con la mano mostrando cuanto le rodeaba—. No creo que exista para mí más futuro que este zascandilear estúpidamente de un lado a otro ingeniándomelas siempre para salvar a duras penas el pellejo. ¿Qué sentido tendría soportar tantas calamidades si la olvido? Confiar en que algún día volveré a encontrarme con Ingrid, es lo único que me impulsa a seguir adelante.

—¿Y si ella te ha olvidado?

—Yo vivo de mis recuerdos, no de los suyos —replicó el canario con un leve deje de tristeza en la voz—. No soy estúpido, y no puedo por tanto pretender que una vizcondesa que lo tiene todo se acuerde de los días que pasó junto a un mísero pastor analfabeto al que ni siquiera entendía. Hace ya cinco años que la vi por última vez, y he tenido tiempo de aceptar lo inevitable aunque eso no cambie mis sentimientos.

—Desearía que alguien me amase así algún día.

—Ama tú primero.

—No es fácil. Cuando todo lo que se ha conocido es a un cerdo como el *Capitán Eu*, o aquel pobre muchacho al que obligó a beber plomo derretido, no es nada fácil... —Sonrió divertida—. ¿Sabías que aún soy virgen?

—No. No lo sabía... —El gomero hizo una pequeña pausa y al fin añadió un tanto confuso—: ¿Tiene algún significado especial?

—Para las mujeres de mi pueblo, lo tenía.

—Pero ahora estás muy lejos de tu pueblo —le recordó *Cienfuegos*—. Ingrid no era virgen cuando la conocí, pero jamás existió nadie más perfecto y no creo que un detalle tan nimio pudiera mejorarla... —Giró lentamente la vista hacia el desolado chaparral recalentado por un sol de fuego que se abría ante ellos y añadió guiñando un ojo—: ¿No es una charla estúpida a estas horas y con este calor?

—Probablemente... —La negra hizo un gesto indeterminado a su alrededor como queriendo referirse a los ahora invisibles indígenas—. «Ellos» parecen estarse preguntando por qué no hacemos el amor.

—Ya me he dado cuenta.

—¿Y por qué no lo hacemos?

—Porque en estos momentos necesito más una amiga que una amante.

—Me gusta ser tu amiga.

—Y a mí que lo seas.

—Y no estoy del todo segura de si me gustaría ser tu amante...

—Ni yo de que lo fueras.

—Creo que este calor nos está reblandeciendo el cerebro...

No obtuvo respuesta, ya que el bochorno había conseguido que los ojos del canario se cerraran, y permanecieron por lo tanto muy quietos, sudando mansamente inmersos en la más gigantesca de las saunas imaginables, tan en silencio como si el universo entero hubiera cesado de improviso de moverse, puesto que las tórridas temperaturas del mediodía en aquella hostil región del noroeste venezolano tenían la virtud de reducirlo todo a una quietud de muerte, en la que ni tan siquiera los sonidos conseguían transmitirse a través de un aire pesado y demasiado denso que parecía no conocer la existencia del viento.

No cantaban las chicharras, no volaban las aves, y hasta las sempiternas moscas se aletargaban, conscientes de que exponerse a los rayos del sol significaría caer fulminadas por el fuego divino, como si el Creador hiciera un alto cada día con el fin de contemplar su obra a plena luz sin desear que nada ni nadie pudiera distraerle.

Luego, cuando la bola de fuego comenzaba a deslizarse perezosamente en su largo camino hacia la noche, las primeras moscas mordían con fuerza los bordes de las fosas nasales, los espíritus regresaban a regañadientes a los húmedos cuerpos sudorosos, se recuperaba muy despacio la conciencia de las cosas, y llegaba el momento de preguntarse por qué maldita razón el ser humano nunca conseguía ser dueño absoluto de sus sueños.

El hermoso rostro de Ingrid se perdía de nuevo en la tibia penumbra de un bosque de montaña, las voces amigas regresaban a sus tumbas, el esperanzador sonido de la campana de una pequeña iglesia se diluía para siempre en la distancia, y una vez más un camino sin veredas ni destino se abría ante ellos para conducirles de parte alguna a ninguna parte.

Pero todo comenzó a cambiar la misma tarde en que desafiando al sol y al asfixiante calor que espesaba la sangre, una figura humana hizo su temblorosa aparición sobre las horizontales bandas de calima que convertían en agua la arena más lejana.

Cienfuegos entreabrió los ojos y no acertó a admitir que fuera un hombre —un loco más bien que se arriesgaba a morir deshidratado— hasta que no le cupo duda de que avanzaba erguido y sereno, desnudo por completo y sin más adorno que una roja cinta sobre la frente, ni más arma que una especie de larga pértiga que sostenía indolente sobre el hombro.

—¡YAKARÉ!

La exclamación había partido de uno de los diminutos indígenas que había surgido como una aparición de su ignorado escondrijo, y que de inmediato empezó a gritar agitando los brazos, tanto para llamar la atención del lejano caminante, como para despertar de su sueño al resto de los nativos.

—¡¡Yakaré!! —repetía una y otra vez con inusitada alegría y entusiasmo—. ¡«Na uta Yakaré»!

Como si fuera aquél un nombre mágico, de cada arbusto o matojo nació un nuevo guerrero que comenzó a dar saltos y emitir alaridos de igual modo, hasta el punto de que obligaban a creer que el osado caminante que de forma tan estúpida se arriesgaba a caer fulminado por una inevitable insolación, no era un simple ser humano sino una especie de dios viviente que descendiera de los cielos.

Corrieron a su encuentro, lo aclamaron; poco faltó para que lo alzaran en hombros, y durante el corto recorrido hasta el punto en que se encontraban la negra y el canario debieron ponerle al corriente de quiénes eran los extranjeros y dónde los habían encontrado.

Desde el primer momento resultó evidente que el llamado Yakaré era un rey o un príncipe entre los «cuprigueri»; un líder de altivos ademanes, voz pausada, mirar profundo, pese a que tenía los ojos ligeramente estrábicos lo que atraía de forma muy especial la atención sobre ellos, y largos silencios a los que solían seguir palabras muy precisas.

Era significativamente más alto que el resto de sus congéneres y cada músculo de su cuerpo increíblemente delgado y blanco parecía estar tan en tensión como un resorte a punto de saltar.

Saludó a *Cienfuegos* con un leve ademán de la cabeza y clavó los inquietantes ojos en *Azabache* como queriendo hacerse de inmediato una idea exacta de qué clase de espécimen viviente tenía ante sí.

A la dahomeyana le temblaron las piernas.

Pareció perder de improviso aquel desvergonzado desparpajo que constituía desde siempre el signo más marcado de su carácter, y permaneció tan quieta como un gorrión hipnotizado, permitiendo que el recién llegado la estudiara como si se tratara de un animal de feria o un objeto puesto en venta.

Por último, el nativo se acuclilló permitiendo que el resto de los guerreros hicieran corro en torno suyo, y desentendiéndose por completo del pelirrojo y la muchacha mostró la larga pértiga que cargaba al hombro, y que sus compañeros inspeccionaron con profunda admiración y evidente entusiasmo.

—¿«Auca»...? —inquirió uno de ellos.

Yakaré le hizo notar que no era totalmente redonda, sino más bien aplastada aunque simétrica y pulida hasta parecer casi brillante, y afirmó con la cabeza al tiempo que admitía con un leve tono de orgullo en la voz:

—«Auca».

El que la tenía en la mano cerró un ojo y aplicó el otro a su extremo alzándola al cielo, y fue entonces cuando *Cienfuegos* reparó en el hecho de que no se trataba de una simple pértiga, tal como había creído en un principio, sino que se encontraba taladrada por un largo agujero central, lo que le hacía semejar el cañón de un arma de fuego.

Le hubiera gustado examinar aquel extraño y desconocido objeto más de cerca, pero prefirió concentrarse de momento en tratar de traducir el pausado relato que el inesperado visitante comenzaba a hacer de su al parecer agitadísimo viaje.

En resumen, y aunque hubo infinidad de detalles que no consiguió descifrar en su totalidad, el gomero llegó a la conclusión de que el tal Yakaré había iniciado tiempo atrás una larga caminata que debía conducirle a la obtención de una de las ansiadas «cerbatanas» de fabricación particularmente esmerada de la lejana tribu de los «Aucas», así como a la consecución de la fórmula de un veneno cuyo secreto guardaban celosamente unos misteriosos y escurridizos individuos a los que llamaba «Curare Maukolai», lo que en una traducción bastante libre debía significar algo parecido a «Los Dueños del Curare».

Ahora, tras años de vagabundeo enfrentándose una y otra vez a infinitas aventuras y peligros, regresaba desde las márgenes «Del Gran Río en el que nacen los Mares», y aunque traía consigo una de aquellas preciadas «cerbatanas» y una calabaza repleta de negra pasta que debía ser sin duda auténtico «curare» de la mejor especie, se veía obligado a admitir que para obtener el secreto de la fórmula tendría que haberse traído a cuestas a un pesado «Curare Maukolai», a lo cual se habían opuesto fieramente los miembros de su tribu.

Resultaba a todas luces evidente, no obstante, que para los fascinados «cuprigueri», tenían mucha más importancia los logros y hazañas de su héroe que su único fracaso, y se mostraban particularmente excitados con el contacto de la preciada «cerbatana», hasta el punto de que lanzaron nerviosos gritos de entusiasmo cuando su dueño introdujo en ella un largo y afilado dardo para derribar de un único y seco soplido a una alborotadora cotorra que parloteaba a más de veinte metros de distancia.

Al canario le asombró la mortal eficacia de tan desconcertante, silenciosa y peculiar arma ofensiva, por lo que no pudo por menos de extender la mano y solicitar con un gesto que le permitiesen observar de cerca el negro betún en que el nativo había humedecido la punta del dardo.

Lo estudió con incrédulo detenimiento, y le sorprendió luego advertir cómo *Azabache* lo analizaba a su vez, oliéndolo y palpándolo.

—¿Lo conoces...? —quiso saber.

—No —admitió honestamente la dahomeyana—. Pero apuesto a que está hecho de veneno de serpiente, mezclado con raíces y resinas y cocido a fuego lento. —Comenzó a tartamudear al advertir que los estrábicos e inquisitivos ojos estaban ahora fijos en ella—. Con tiempo podría conseguir algo parecido. —Se diría que se había ruborizado aunque dado el color de su piel resultaba casi imposible asegurarlo—. Aún recuerdo algunas de las enseñanzas de mi abuela... —concluyó nerviosamente.

—¿Te gusta el «indio»? —inquirió *Cienfuegos* divertido por su azoramiento.

—Me asusta.

—No —sentenció el isleño convencido—. No te asusta aunque tenga aspecto de ser un guerrero especialmente temible. Te gusta.

—¡Vete al diablo!

El otro no pudo evitar que se le escapara una corta carcajada:

—Como quieras —admitió—. Pero te conozco lo suficiente como para saber lo que pasa por tu lanuda cabeza. —Le guiñó un ojo con picardía—. Te gusta y le has impresionado.

—Será porque nunca ha visto a una negra.

—Tampoco yo había visto ninguna y lo único que se me ocurrió pensar es que estaba sucia... —le recordó para añadir con manifiesta intención—: Los otros lo tratan como a un príncipe: tal vez llegues a reina en estas tierras.

—¿«La Reina Negra de los Salvajes Blancos...»? —inquirió ella con marcada intención—. ¡Tendría gracia habiendo empezado como esclava de un cerdo portugués...!

—La vida da muchas vueltas... Y si no que me lo digan a mí que empezando de mísero cabrero en una isla eternamente primaveral, he llegado a convertirme en próspero dueño de una espada y un taparrabos en mitad de la tierra más caliente del mundo. —Le golpeó con afecto la pierna—. ¡No te inquietes! —pidió—. Llegaremos muy lejos.

—¿Más aún...?

—¡Mucho más! —replicó el canario divertido—. Llegaremos donde no llegó nadie... —Reparó en que los ojos de todos los indígenas estaban clavados en él, y arrugando cómicamente la nariz señaló con el dedo a la africana al tiempo que exclamaba en tono ampuloso—: ¡*Azabache* gran «Curare Maukolai»!

Los «cuprigueri» le observaron estupefactos, se volvieron luego a escudriñar a la muchacha con una extraña mezcla de incredulidad y admiración, y, por último, uno de ellos inquirió con timidez:

—¿Gran «Curare Maukolai»...?

—La mejor de África.

—¿Estás seguro...?

—¡Lo que yo te diga! En un tris-tras prepara un «Curare» de chuparse los dedos.

Resultó evidente que los pobres aborígenes no tenían muy claro a qué demonios se estaba refiriendo, y tuvo que ser la propia Azava-Ulué-Ché-Ganvié la que interviniera escandalizada.

—¿Pero qué dices...? —masculló entre dientes—. Yo no sé cómo se prepara ese veneno.

—Acabas de decir que puedes conseguir algo parecido... Al fin y al cabo, un veneno es siempre un veneno.

—¡En absoluto! —protestó la dahomeyana—. En mi país se fabrican muchísimos, pero cada uno sirve para algo distinto y actúa de modo diferente, desde el que licua la sangre, hasta el que paraliza el corazón, y desde el que fulmina en el acto, hasta el que tarda meses en consumir a una persona.

—Pues ya has visto que éste fulmina en el acto.

—A un animal pequeño, sí —admitió la muchacha—. Pero por lo visto es un animal destinado al consumo. ¿Sabes lo que ocurriría si el veneno tuviera demasiada fuerza...?: que el que se lo comiera también acabaría muerto. No es tan fácil —concluyó convencida—. ¡Nada fácil!

—Yo sé que lo conseguirás...

—¿Y quién probará los resultados...? ¿Tú?

—¡Hombre...! ¡Tanto como eso...!

La negra señaló con un ademán de la cabeza a los indígenas que permanecían pendientes de sus palabras aunque no las entendieran en lo más mínimo.

—¿Quién entonces? ¿Ellos? ¡A ver qué cara pondrían si empezaran a morir por mi culpa...! —Movió de un lado a otro con ademán pesimista la cabeza—. Necesitaría meses para encontrar la fórmula. —Chasqueó ahora la lengua como pretendiendo recalcar más aún la intensidad de su escepticismo—. Mi abuela distinguía los venenos tan sólo con olerlos y señalaba en el acto cómo actuaba cada uno, pero yo era entonces una niña y no tuve tiempo de aprender.

—¿Lo intentarás al menos? Para estas gentes ese secreto parece tener mucha importancia.

Ella indicó con la barbilla el ave que uno de los nativos se entretenía en desplumar pacientemente.

—¡Ya lo creo que debe tenerla! —admitió—. Por mucho que en Dahomey sepamos de venenos, jamás se nos ocurrió usarlos de forma tan ingeniosa: un minúsculo dardo que surge en silencio de un canuto, y que es a la vez mortífero y traidor. ¿Lo habías visto antes?

—Nunca —admitió el canario—. Y lo cierto es que no me gustaría enfrentarme a alguien que empleara esa forma de guerrear. —Se volvió a Yakaré e inquirió en su idioma—: ¿«Aucas» lejos?

El otro asintió muy serio marcando un punto a sus espaldas.

—¡Muy, muy lejos...!

—¡Pues menos mal...!

Al poco reiniciaron la marcha, y muy pronto *Cienfuegos* cayó en la cuenta de que no se trataba ya del interminable vagabundeo exploratorio sin destino concreto de los días anteriores, sino que los «cuprigueri» parecían tener ahora una idea muy clara de cuál era el rumbo a seguir y hacia dónde se dirigían, como si la aparición de Yakaré tuviera la virtud de trastocar sus planes o hubiese despertado en ellos un súbito interés por regresar a sus hogares.

Durante casi una semana anduvieron por tanto a buen paso, e incluso las inevitables siestas de los calurosos mediodías se redujeron de forma notable, ya que era ahora el estrábico de la larga «cerbatana» quien marcaba la pauta y podría creerse que estaba hecho de acero, dado que conseguía mantener durante horas un ritmo endiablado sin probar un sorbo de agua ni dar la más mínima muestra de fatiga.

Era evidentemente un tipo extraño; uno de esos individuos que sobresalen de inmediato de entre la masa de cuantos le rodean, atrayendo la atención aun sin necesidad de hacer un solo gesto inapropiado o pronunciar una palabra más alta que la otra, y al canario no le extrañó por ello que la negra Azava-Ulué-Ché-Ganvié se fuera enamorando más y más de él a medida que pasaban los días.

Resultaba ya inútil que intentara fingir que tan sólo le interesaba «como un salvaje diferente», puesto que se la diría fascinada por cada detalle y cada ademán de aquel cuerpo delgado y fibroso dotado de una energía interior inagotable, pero eran sobre todo los ojos del indígena: aquella mirada inclasificable que parecía converger sobre las personas y las cosas desde dos puntos distintos, lo que con más fuerza mantenía atrapada a la muchacha, a quien se diría capaz de dar su mano izquierda por adivinar el auténtico significado de tan inquietante forma de quedarse contemplándola durante largos minutos.

—No debiste decirle que entiendo de venenos... —se quejó una noche a *Cienfuegos*—. Ahora nunca podré saber si le intereso como mujer o tan sólo como «Curare Maukolai».

—Cuando te mira a los ojos probablemente está pensando en si serás capaz de fabricar venenos, pero cuando te mira al pecho o a los muslos seguro que piensa en otra cosa.

Fuera cual fuera la actitud del estrábico hacia la africana, cambió sin lugar a dudas la mañana en que de improviso el guerrero que marchaba en primer lugar dio un brusco salto lanzando un grito que provocó la inmediata desbandada de cuantos le seguían.

—¡«Cuama»! —exclamó horrorizado—. ¡«Cuama»!

Era como si hubiese mencionado en verdad al mismísimo demonio, ya que incluso el impávido Yakaré pareció impresionado, y todos formaron un amplio y prudente círculo en torno a un claro entre los matojos, en cuyo centro destacaba, desafiante y agresiva, una delgada serpiente de no más de metro y medio de largo, piel grisácea y aplastada cabeza en la que tan sólo destacaban dos ojillos furiosos y unos curvos y afilados colmillos de aspecto amenazante.

Ni uno solo de los aborígenes hizo ademán de atacarla con sus largas flechas o sus afiladas lanzas de oscura madera, como si tan sólo el hecho de intentar acabar con ella significase correr un serio peligro, y el que se encontraba más cerca del canario le aferró con fuerza el antebrazo retirándole hacia atrás prudentemente.

—¡«Cuama» muerte! —musitó con voz ronca—. ¡Muerte terrible! —concluyó como si fuera aquélla la más indiscutible de las aseveraciones.

Todos iniciaron entonces un prudente repliegue destinado a rodear al peligroso ofidio evitando su ira, pero en ese mismo instante la dahomeyana comenzó a emitir un curioso sonido en cierto modo semejante al que utilizan algunos arrieros para tranquilizar a sus animales, aunque entremezclado con suaves silbidos de imprecisa e inquietante modulación, al tiempo que iniciaba un lento pero decidido avance chasqueando los dedos de la mano izquierda que mantenía lo más alejada posible de su cuerpo.

—¿Qué haces? —se escandalizó el gomero—. ¿Te has vuelto loca?

—¡Calla! —fue la serena respuesta—. ¡No te muevas y calla!

Continuó su marcha observada con asombro por la atemorizada partida de nativos que no se atrevían a mover siquiera un músculo, y cuando Yakaré aventuró el gesto de cargar su cerbatana, la negra se lo impidió con una seca mirada autoritaria.

El ofidio se había alzado aún más sobre su firme cola, y aparecía ahora pendiente del chasquear de los dedos a la par que se diría que los extraños sonidos la aturdían, desconcertándole, como si dudase entre a cuál de aquellos dos puntos, la mano o la boca, debería dedicar preferentemente su atención.

Centímetro a centímetro, *Azabache* siguió avanzando sin cesar ni un solo instante en sus gestos hasta que de improviso, y con tal velocidad que ni el más atento de sus fascinados testigos pudo determinar cómo había ocurrido realmente, dio un paso adelante, lanzó la mano derecha como si de un rayo se tratara y atrapó al animal justamente por debajo de las mandíbulas permitiendo que el resto del cuerpo se la enroscara al brazo sin experimentar por ello el más mínimo temor o aprensión.

Con la temible cabeza emergiendo entre sus dedos, hizo un gesto al indígena más próximo para que le alargase una calabaza, apoyó contra su borde los afilados colmillos, presionó con fuerza y consiguió que la bestia expulsase un pequeño chorro de un líquido de color marrón oscuro.

Dejó la calabaza en el suelo, arrancó un pedazo de liana, y valiéndose de una sola mano maniató con increíble habilidad la boca de su enemiga para dejarla caer a sus pies con la actitud de quien se libra de un trasto inútil.

—¡Dios bendito! —acertó a exclamar el impresionado *Cienfuegos*—. ¡Vaya par de cojones!

—¡«Curare Maukolai»! —exclamaron a su vez los entusiasmados indígenas rodeando a la negra a la que palmeaban la espalda como si se tratara de una auténtica heroína—. ¡Gran «Curare Maukolai»!

Pero resultaba evidente que la atención de la muchacha no estaba pendiente de los comentarios del canario, ni aun de las felicitaciones de los guerreros, sino que sus ojos se habían vuelto de inmediato al estrábico, a quien sin duda estaba dedicada en exclusiva tan desmesurada prueba de arrojo y sangre fría.

A nadie le sorprendió por tanto que esa misma tarde la negra y Yakaré desaparecieran en lo más profundo de un cercano bosquecillo para no volver a hacer acto de presencia hasta muy entrada la mañana siguiente.

—¿Qué? —quiso saber *Cienfuegos* sonriente—. ¿Cómo ha ido eso?

—Ha ido de tal modo, que como no aflojen el paso, me quedo en el camino —fue la humorísta respuesta.

—¿Feliz?

Ella se detuvo unos instantes, le miró a los ojos e inquirió desconcertada:

—¿Cómo es posible que andando descalza y semidesnuda por el último rincón del Universo en compañía de una docena de salvajes y un pelirrojo medio loco, no quisiera cambiarme ahora ni por la mismísima reina de España?

El isleño le acarició con afecto el crespo y ensortijado cabello y replicó sonriente:

—Es muy sencillo. Si Ingrid estuviera aquí, me ocurriría lo mismo.

Al cuarto día de marcha alcanzaron la orilla de un mar que no era tal, sino únicamente un gigantesco lago de agua dulce del que ni tan siquiera se vislumbraba la margen opuesta, y los «caprigueri» extrajeron del fondo de una diminuta ensenada tres largas canoas de dura madera que mantenían ocultas bajo el agua por el sencillo procedimiento de sumergirlas a poco más de un metro de profundidad rellenándolas de grandes piedras.

A la mañana siguiente iniciaron la navegación con el sol a una cuarta sobre la línea del horizonte, y cuando ya comenzaba a caer vertical machacando cerebros, se dibujó en la distancia una oscura línea quebrada que poco a poco fue tomando la forma de un sinfín de cabañas que se alzaban sobre irregulares pilotes a poco más de dos metros sobre la superficie de las aguas.

—¡Ganvié! —exclamó de improviso *Azabache* con un leve temblor en el tono de voz—. ¡«Elegba» sea loada, estoy en casa!

El canario se volvió a observarla.

—¿Qué quieres decir? —inquirió sorprendido.

Ella indicó con un ademán de la cabeza hacia delante:

—Nací en un poblado como éste, en el lago Nokue, en Dahomey... —Se volvió a su vez a Yakaré que remaba tras ella—. ¿Cómo se llama el lago? —quiso saber.

—«Ma-aracaibio» —replicó el estrábico con su reconocido laconismo.

—¿Y el poblado?

—«Conuprigueri.»

—«Ma-aracaibio» significa «Tierra de Serpientes», lo cual quiere decir que estás en tu ambiente —aclaró el isleño—. Y «Conuprigueri», «La casa de los Cuprigueri». —Agitó la mano de un lado a otro al tiempo que sonreía como burlándose de su propia aseveración—. ¡Aproximadamente...! —concluyó.

—¡Menudo traductor estás tú hecho...! —fue la burlona respuesta de la africana que a continuación indicó con un ademán de la cabeza la larga hilera de amplias chozas de techo de palma que se extendía ante ellos—. ¿Cuánta gente crees que vive aquí?

—No tengo ni la menor idea...

Resultaba en verdad difícil calcular el número de habitantes del pintoresco poblado lacustre de los «Cuprigueri», dado que aunque cada edificación nacía del agua independiente del resto de sus vecinas, a las que le unían tan sólo frágiles pasarelas, su tamaño, forma e incluso distribución variaba hasta el punto de que podía llegar a pensarse que ciertas familias, clases sociales e incluso gremios tendían a agrupar sus palafitos constituyendo un bloque o «barrio» propio, para mantener luego una amplia extensión de aguas libres hasta otro nuevo grupo de viviendas.

Pero lo que más atrajo la atención del gomero desde el primer momento fue la endiablada habilidad que parecían tener los habitantes del lugar a la hora de manejar unas minúsculas piraguas que en ocasiones semejaban casi una piel de plátano colocada sobre la superficie, cruzándose y entrecruzándose sin rozarse, o pasando por entre la maraña de pilares que sostenían las construcciones a tal velocidad que podía considerarse un milagro el hecho de que no fueran de improviso a parar todos al lago.

Al propio tiempo, una nube de chiquillos se lanzaba de continuo al agua, riendo y persiguiéndose, mientras las mujeres cotorreaban de baranda a baranda y los hombres discutían con grandes aspavientos, perfectamente asentados sobre sus livianas canoas, por lo que en conjunto cabía imaginar que el «cuprigueri» era un pueblo que se había adaptado a la vida acuática con mucha más naturalidad con la que otros se acostumbran a la vida en tierra firme.

Cada «clan» marcaba sus viviendas con sencillos dibujos en los que dominaba casi siempre el rojo y el negro y que esquematizaban la mayoría de las veces la silueta de un mono, un pez o un ave.

Pero el auténtico corazón de la vida ciudadana, al que tan sólo se accedía atravesando un sinfín de canales que constituían un laberinto para quien no perteneciese al «municipio», estaba formado por una cabaña rectangular de casi cincuenta metros por treinta, con techo de palma y paredes de caña, y lo primero que llamó la atención de *Cienfuegos* al poner el pie en su interior, fue el sorprendente contraste de su fresca temperatura en relación con el bochornoso calor que se soportaba al aire libre.

Por lo que pudo deducir mucho más tarde, un complicado juego de celosías de frágiles juncos parecía ir atrapando las casi inexistentes corrientes de aire para hacerlas fluir de tan ingeniosa manera, que la mayor parte del amplio recinto de altos techos y suave penumbra se mantenía a casi diez grados de temperatura por debajo del ambiente exterior.

El innegablemente majestuoso «edificio» recibía el pomposo nombre de «Conu-cora-ye», o «Casa de las Palabras Importantes», denominación atribuida sin duda al hecho de que en ella se reunía una veintena de ancianos, que acuclillados sobre ásperas esterillas de palma, discutían durante horas cuantas decisiones concernían a la actividad comunitaria.

El inesperado arribo de una flotilla de canoas a bordo de la cual se encontraban un gigante de pelirroja barba y una mujer negra jamás vistos o tan siquiera imaginados por los asombrados «cuprigueri», provocó de inmediato el consiguiente revuelo en el poblado, pero lo que arrancó literalmente alaridos de entusiasmo, sobre todo por parte de las mujeres, fue la visión del altivo Yakaré alzando orgullosamente su «cerbatana» desde la popa de la primera de las embarcaciones.

—¡«Auca»! ¡«Auca»! —gritaba el estrábico agitándola, o mostrando la calabaza repleta de negro veneno—. ¡Yakaré trae «curare» «auca»!

Tal hecho debía ser evidentemente mucho más importante a los ojos del «Consejo de Ancianos» que la curiosidad que pudiera despertar en ellos la presencia de *Azabache* y *Cienfuegos*, ya que se limitaron a rogarles que se acomodaran en un rincón de la cabaña ofreciéndoles una cesta de frutas y un cuenco de pescado crudo, mientras se enfrascaban en las prolijas explicaciones que de su viaje les hacía el arriesgado guerrero que había recorrido a solas el lejano territorio de los «aucas» durante los dos últimos años.

Todos los ojos se volvieron no obstante hacia la africana en el momento en que Yakaré apuntó la idea de que podía tratarse de una auténtica «Curare Maukolai», extendiéndose a la hora de relatar la increíble forma en que había atrapado a una venenosísima «cuama» sin mostrar el más mínimo temor.

El más anciano del grupo, que debiera serlo tal vez de todo el Nuevo Mundo puesto que su rostro parecía surcado por tantísimas arrugas que casi no existía un solo pedazo de su piel sobre el que hubiera podido asentarse cómodamente un mosquito, avanzó entonces, siempre en cuclillas y como un extraño monstruo bamboleante, hasta situarse frente a la negra, a la que estudió con tan profundo detenimiento, que cabía imaginar que sus inquisitivos ojos podían incluso averiguar lo que había cenado la noche antes.

Por último agitó pesimista la cabeza:

—No «Curare Maukolai» —fue todo lo que dijo.

—¡Jodido viejo...! —se encrespó de inmediato la otra—. ¿Qué sabrás tú de lo que es capaz una dahomeyana? —Se volvió molesta al canario que observaba irónico la escena—. ¡Explícale a esta arruga con patas que si me proporcionan lo que necesito, en un mes consigo esa mierda! —Hizo una corta pausa y añadió despectiva—: Y les enseño a pescar.

—¿A pescar? —se sorprendió el gomero—. Esta gente ha vivido siempre de la pesca y supongo que sabe todo lo que se pueda saber sobre el tema.

Ella negó convencida:

—Lo dudo puesto que no he visto ni una sola «akadja».

—¿Y qué es eso?

—Una trampa para peces. La instalas bajo tu casa y se convierte en un vivero natural. A la hora de comer no tienes más que elegir el pez que más te apetezca.

—Suena interesante.

—En Ganvié cada familia tiene una.

El isleño la observó con fijeza, llegó a la conclusión de que sabía de lo que estaba hablando, y decidió transmitir su propuesta a los nativos.

La idea de disponer de una despensa inagotable sin tener que realizar el más mínimo esfuerzo, interesó de inmediato a unas gentes tan aficionadas a la buena vida como parecían ser los «cuprigueri», por lo que el tema de la «cerbatana» y el «curare» quedaron por el instante relegados a un segundo plano, ya que la atención de todos los asistentes se centró en averiguar en qué consistía aquel artilugio que podía simplificar más aún su ya de por sí bastante cómoda existencia.

Por fortuna, *Azabache* no mentía, y ni tan siquiera exageraba, ya que en poco más de dos horas, y valiéndose de largas ramas que clavó en el fangoso fondo del lago, alzó bajo una de las esquinas de «La Casa de las Palabras Importantes» una especie de rústica almadraba o enorme «nasa» en la que muy pronto comenzaron a introducirse infinidad de peces que se dedicaron a girar y girar en su interior sin encontrar nunca la salida.

—¡Diantre! —se asombró *Cienfuegos*—. ¿Cómo es posible que vayan siempre en el mismo sentido. Si se dieran la vuelta escaparían.

—Mi padre aseguraba que el instinto de ciertas especies les señala que a un lado está la costa, donde existe protección y al otro las aguas libres donde corren peligro. Por eso, si el lago está turbio, nadan manteniendo siempre la pared a un mismo lado y jamás cambian porque en sus mentes no cabe la idea de que puedan estar haciéndolo en círculo. En cuanto tropiezan con el tramo saliente de la «akadja» lo seguirán hasta morir.

—¡Curioso...! Astuto y curioso...

La negra se limitó a sonreír al tiempo que indicaba

con un ademán de la cabeza al arrugado anciano que acuclillado al borde del agua contemplaba embobado el carrusel de peces atrapados.

—¿Qué? —inquirió—. ¿Aún continúa dudando de mí?

—Se limitó a asegurar que no eras una «Curare Maukolai», y tú y yo sabemos que no lo eres —replicó el gomero guiñando un ojo—. De tu habilidad como pescadora nadie había hecho mención hasta el presente.

—¡Pues tengo otras muchas habilidades...! —rió ella con picardía—. ¡Muchas!

—Debes tenerlas —admitió *Cienfuegos* en idéntico tono—. Yakaré está cada día más flaco.

—Le quiero... —exclamó espontáneamente la muchacha—. ¡Dios! Jamás imaginé que se pudiera querer tanto a un hombre como quiero a ese maldito bizco... —extendió la mano y tomó con afecto la del canario—. Gracias por traerme... —señaló cambiando el tono de voz—. Gracias por haber aparecido en mi vida para librarme de aquel cerdo. —Le tiró afectuosamente de la roja barba—. Éste sería un buen sitio para quedarnos si estuviera la rubia, ¿no es cierto?

Lo era, en efecto, porque la vida sobre los palafitos de la bulliciosa ciudad de los «cuprigueri» reunía la mayor parte de los requisitos necesarios como para hacer plácida una existencia no demasiado exigente, y ni el canario *Cienfuegos*, ni la dahomeyana *Azabache* se encontraban en aquellos momentos en disposición de pedirle mucho a la vida, ya que lo único que pretendían era sobrevivir en paz tan alejados de sus respectivos mundos, y en el caso de la muchacha, disfrutar plenamente de la hermosa relación sentimental que se había cruzado inesperadamente en su camino.

El agradecido «Consejo de Ancianos» les había asignado dos amplias cabañas cercanas a la «Conu-cora-ye», al tiempo que ordenaba a todos los guerreros que acudieran de inmediato a la costa a traer frazadas de ramas con las que construir rápidamente «akadjas» idénticas a la que *Azabache* había levantado con tan rotundo éxito.

—Acabarás convirtiéndote en «La Reina Negra» de

los «Salvajes Blancos» —señaló en tono jocoso el gomero al observar cómo las embarcaciones comenzaban a partir hacia la orilla aprovechando el frescor de la noche—. Si además les proporcionaras el «curare», te harías la dueña del poblado.

—No será fácil —repitió una vez más la muchacha en tono pesimista—. Como elemento base necesito un tipo de veneno que actúa sobre el corazón, y no de los que producen alucinaciones, vómitos o hemorragias. Y por lo que he podido advertir, las serpientes de aquí son bastante diferentes de las de África. Tardaré en averiguar cuál de ellas posee ese tipo de veneno.

—Pues te las arreglastes muy bien con la «cuama» —señaló el cabrero—. ¿Cómo puedes hacerlo?

—No resulta tan difícil teniendo en cuenta que casi todos los animales asocian la idea de ruido a movimiento —aclaró la africana—. Y a las serpientes, sobre todo si tienen los ojos muy separados, descubrir que una mano se agita pero el sonido le llega de otra parte, les desconcierta. En el último momento te callas y chasqueas fuertemente los dedos lo que provoca que por un instante se concentre solamente en ese lugar. Entonces la atrapas por el otro y en paz.

—Dicho así parece un juego, pero hay que tener mucho valor para intentarlo.

—O ser dahomeyana... —rió ella—. En mi país la ofidiolatría no es tan sólo una religión, puesto que ocupa casi toda nuestra vida. Cuando dos personas tienen un pleito y no llegan a un acuerdo, se les obliga a ingerir veneno, y al que sobrevive —si alguno lo hace— se le da la razón. A toda mujer acusada de adulterio se la encierra una semana en una cueva con tres «mapanares» y si sale viva nadie duda de su honradez. De igual modo cuando alguien quiere demostrar que no miente, se coloca un hierro al rojo impregnado en sangre de serpiente, sobre la lengua. O se queda mudo, o es que era sincero... —La negra abrió las manos con las palmas hacia arriba—. Como comprenderás, si allí no eres capaz de hacer lo que yo hice el otro día en cuanto aprendes a caminar, tus posibilidades de llegar a la mayoría de edad son muy escasas...

—Lo que en verdad resulta milagroso es que alguien llegue a esa mayoría de edad... —arguyó el cabrero—. Gracias a Dios en La Gomera no hay serpientes, porque te juro que si algo me pone los pelos de punta, son esos bichos... —Fue a añadir algo pero súbitamente quedó absorto contemplando un punto del cielo, a espaldas de *Azabache*—. O yo estoy loco —señaló—, o he visto el mismo relámpago brillar cinco veces seguidas en el mismo lugar... —Hizo una corta pausa—. Y no hay tormenta —concluyó.

No había tormenta, y el citado relámpago, que era como una inmensa cicatriz que se dibujara silenciosamente en el cielo, restallaba una y otra vez, con casi matemática precisión en la bochornosa noche del gran lago iluminando las lejanas montañas.

—«Catatumbo» —fue la seca respuesta del somnoliento Yakaré cuando la muchacha le obligó a saltar de la hamaca inquiriendo la razón de tan sorprendente fenómeno atmosférico—. Sólo «Catatumbo».

—¿Y qué es «Catatumbo»?

Naturalmente, el pobre indígena no tenía la más mínima explicación científica válida que sirviese para aclarar el misterioso meteoro que aún hoy desconcierta e intimida a cuantos lo contemplan, por lo que se limitó a encogerse de hombros al tiempo que replicaba:

—Señal de Dios. Está allí y vigila. Siempre vigila.

—¿Qué vigila?

—No guerras de noche. No muertes de noche... —La observó de arriba abajo al tiempo que lanzaba un sonoro bostezo—. Quizá... no negra cotorreando para que agotado Yakaré no pueda dormir de noche.

Ella se limitó a lanzar una risita divertida y empujarle suavemente al interior de la cabaña.

—¡Vamos! —dijo—. Que te voy a dar un buen «Catatumbo» para que puedas dormir esta noche.

La Princesa Flor de Oro —*Anacaona* en dialecto «azawan»— se presentó una hermosa mañana de abril ante su íntima amiga Ingrid Grass que se ocupaba en esos momentos en darle de comer a los cerdos, e inquirió sonriente:

—¿Estás preparada?

—¿Para qué?

—Para conocer a Haitiké.

La alemana advirtió cómo el corazón le daba un vuelco, ya que pese a que hacía meses que aguardaba el momento de enfrentarse al hijo de *Cienfuegos*, la posibilidad de descubrir en su rostro rasgos de aquel otro rostro tan amado, le obligó a buscar apoyo en una cerca tomando conciencia de que las piernas estaban a punto de fallarle.

—Dame tiempo —pidió—. Necesito tranquilizarme y arreglarme un poco.

—No es más que un niño.

—Es parte de él. Quizá la única parte que vuelva a ver nunca... —Indicó con un ademán de cabeza a la cabaña—. Hazle entrar solo...

Penetró en su dormitorio, se lavó, se recogió en un moño el largo cabello, y tomó asiento en una rústica mecedora tan nerviosa como si estuviera a punto de recibir al mismísimo Rey Fernando.

El chicuelo llegó precedido por dos inmensos ojos oscuros que lo observaban todo con timidez y asombro, tan asustado o más que ella misma, y portando ya en su minúsculo cuerpo el conjunto de caracteres diferenciadores que habrían de marcar para siempre a la nueva raza que nacería de la mezcla de sangres tan distintas.

Era el primer fruto de la unión de un europeo y una «india», nieto de un noble aragonés, una semisalvaje pastora de origen «guanche» y dos príncipes haitianos, y observándole con detenimiento se podía determinar qué parte de cada uno de sus antepasados había elegido para completar su aún frágil anatomía.

Muy quietos el uno frente al otro se estudiaron con el profundo detenimiento de quien «sabe» que se encuentra ante alguien que va a marcar para siempre su vida, porque al niño le habían advertido que a partir de aquel momento *Doña Mariana Montenegro* pasaría a ser la madre que había perdido, y para la ex vizcondesa de Teguise, Haitiké se convertía de igual modo en su única «familia», aunque para el mocoso el encuentro resultase a todas luces mucho más impactante, no sólo debido a su corta edad, sino en especial al hecho de que era la primera vez que se encaraba a uno de aquellos odiados y temidos «Demonios Vestidos», que habían llegado de allende los mares con la manifiesta intención de destruir y esclavizar a los componentes de su raza.

Su madre, Sinalinga, había muerto a causa de las enfermedades que portaban, y su tío, el antaño poderoso y temido cacique Guacarani se había convertido en apenas algo más que un mísero «alcalde nativo» al servicio de los conquistadores. Desde que tenía memoria todos cuantos le rodeaban no habían hecho otra cosa que lamentarse amargamente por la presencia de los aborrecidos extranjeros, y ahora descubriría horrorizado que él mismo pasaba a ser propiedad privada de una de sus espantosas hembras.

¿Sería cierta la leyenda de que devoraban a los niños al igual que lo hacían los feroces caribes?

Observó su boca, más pequeña y de labios más finos que los de su propia gente, y le aterrorizaron sus ojos, tan azules que semejaban gotas de agua bailando sobre la superficie de huevos de codorniz.

Pero le maravilló descubrir que no le hablaba con voz de trueno o de demonio, sino dulcemente y en su idioma, y fue esa voz lo primero que contribuyó a acallar sus temores, como si un sexto sentido le dictase que alguien que ponía tanto afecto en su forma de dirigirse a él, jamás podría hacerle daño.

—¡Ven! —le suplicó—. Acércate. No tengas miedo. —Ingrid Grass lanzó un hondo suspiro que era casi un sollozo—. ¡Dios, cómo te pareces a tu padre...!

—Mi padre está muerto.

—No —negó la alemana con firmeza—. Yo sé que está vivo. «Tiene que estar vivo», y tú y yo esperaremos juntos su regreso.

La convicción con que aquella irreal dama extranjera le asegurara desde el día en que la conoció que su padre vivía, se asentó con tal fuerza en el ánimo de Haitiké, que jamás puso luego en duda el hecho de que acabaría por enfrentarse al gigante pelirrojo del que su madre tanto le hablara pese a que su tío Guacarani mantuviese la teoría de que se había ahogado años atrás en el inmenso mar de los caribes.

Y es que Haitiké había sido siempre un niño diferente y de ideas muy personales, pues fue también sin duda el primero que tuvo que sufrir desde su nacimiento el cruel estigma de un mestizaje que se implantaría para siempre en el Nuevo Mundo marcando insalvables distancias y señalando los puntos de arranque por los que habrían de avanzar los caminos de su historia.

Hijo de un personaje tan singular como el cabrero de la isla de La Gomera y de una decidida y valiente aborigen que no había dudado en enfrentarse a su propia gente por salvar la vida de su amante, el chicuelo no había heredado sin embargo el rebelde carácter de ninguno de sus progenitores, sino que más bien podría creerse que la mezcla de ambas sangres había producido una nueva sangre resignada y paciente, callada y fatalista; «sangre mestiza» impregnada de virtudes y defectos que poco o nada tenían en común con las de su procedencia.

Tal vez el hecho de haber nacido en medio de un huracán la víspera de una matanza, asistiendo luego a la llegada de unos feroces invasores que nada respetaban, para sufrir por último los efectos de una cruel guerra colonial tras la aparición de la devastadora epidemia que había acabado incluso con su madre, influyeran en su posterior forma de comportarse, pero no podía negarse que Haitiké se enfrentaba a la vida con el profundo desconcierto de quien parece estar preguntándose a todas horas quién es y qué diablos está haciendo en un determinado lugar, sin que por su parte *Doña Mariana Montenegro* se sintiera con capacidad de aclararle demasiado las ideas.

La eterna seriedad del chiquillo y su continuo retraimiento parecían establecer de inmediato una barrera con el resto de los seres humanos, y esa barrera se volvía tanto más infranqueable cuanto más se intentaba razonar con él como con una criatura de su edad, puesto que a menudo cabía imaginar que en ciertos aspectos Haitiké había nacido siendo ya una persona adulta.

La alemana no había tenido nunca un trato demasiado directo con el mundo de los niños, exceptuando quizás a los tímidos y esquivos hijos de los sirvientes de La Casona, allá en La Gomera, cuya lengua en aquel tiempo ni siquiera entendía, pero como mujer presentía que la introversión del carácter del muchacho iba mucho más allá de toda lógica.

En sus rasgos, muy marcados, predominaba casi en tres cuartas partes el componente aborigen aunque por fortuna no había sacado el color rojizo del cabello de su padre, puesto que ello le hubiera conferido sin lugar a dudas un aspecto desconcertante y un tanto estrambótico.

Su piel resultaba sorprendentemente blanca, pero era en la boca y en los ojos donde con más facilidad se reconocía su ascendencia europea, y aun sin la prestancia natural y el indiscutible atractivo físico de *Cienfuegos*, podía considerársele un chiquillo muy guapo o más bien interesante de una forma que inquietaba sobre todo a las mujeres.

Su mundo fue casi desde el día de su llegada el mundo del mar y de los barcos, y en cuanto desaparecía de la casa Ingrid descubrió muy pronto que podía encontrarlo en la playa o en el destartalado espigón que hacía las veces de desembarcadero en «Isabela».

Quizá para Haitiké el mar se convirtió de inmediato en el símbolo de la futura huida de una isla en la que como todo mestizo —y no había que olvidar que él sería siempre el primer mestizo al oeste del océano— se consideraría siempre rechazado por dos razas enemigas a las que ni siquiera el paso de los siglos conseguiría reconciliar.

Tan sólo el cojo Bonifacio, y el audaz Alonso de Ojeda, fiel amigo y consejero de *Doña Mariana* y asiduo visitante de la granja pese a su cada vez más tibia relación con la princesa *Flor de Oro,* supieron entender al primer golpe de vista al muchacho, y conseguir atravesar con el paso del tiempo su invisible coraza protectora.

No podía negarse que en determinados aspectos el diminuto Capitán se sentía hasta cierto punto compenetrado con una criatura que se consideraba rechazada, al igual que recordaba que él mismo se sintiera menospreciado tiempo atrás a causa de su estatura.

Ojeda había tenido que demostrar, a lo largo de más de cien duelos de los que escapó siempre sin un solo rasguño, que pese a su tamaño podía llegar a ser el hombre más temido de su tiempo, y debido a ello era quien más capacitado se sentía a la hora de calibrar los infinitos padecimientos por los que aquel mustio chicuelo tendría que pasar hasta dejar bien sentado que sus evidentes diferencias no le hacían por ello inferior al resto de los mortales.

Dos docenas de rivales habían tenido que irse definitivamente a la tumba antes de conseguir que al fin le dejaran en paz con sus burlas y el conquense sabía por experiencia que tantas vidas humanas constituían un precio excesivo a cambio de un poco de respeto. Sin embargo, y consciente de que el mundo que les había tocado vivir no entendía mejor lenguaje que el de las armas, se aplicó muy pronto a la tarea de enseñarle a su protegido lo más selecto de los infinitos trucos y habilidades que le habían valido ser considerado como el más consumado e invencible espadachín de las dos orillas del océano.

Doña Mariana se opuso en un principio a tales enseñanzas, pero Ojeda logró convencerla durante una de aquellas tardes en que disfrutaban juntos de tranquilos paseos por la hermosa y larga playa que se extendía a espaldas de la granja.

—El rapaz es silencioso y solitario —le hizo notar—. Pero es también obstinado y orgulloso. Tendrá problemas, tanto con su gente como con la nuestra, y podéis tener la seguridad de que si no le proporcionamos un modo eficaz de hacerles frente, su vida será un infierno.

—Es sólo un chiquillo.

—Está en una edad idónea de aprender y, modestia aparte, jamás conseguirá mejor maestro. —Sonrió con tristeza—. Quizá muy pronto me vea en la necesidad de abandonar «La Española» en busca de ese maravilloso destino que siempre me auguraron, y para entonces quiero que sepa todo aquello que únicamente yo puedo enseñarle.

—No me gustaría hacer del hijo de *Cienfuegos* un vulgar perdonavidas pendenciero —arguyó ella molesta—. Y si me ocupo de su educación, no es para tratar de convertirlo en un espadachín camorrista.

—¿Quiere eso decir que me consideráis un perdonavidas, pendenciero, espadachín y camorrista? —inquirió el de Cuenca fingiendo sentirse ofendido.

—En cierto modo, sí... —replicó Ingrid Grass con absoluta naturalidad—. Ese escapulario de la Virgen de que tanto presumís, puede que os proteja de las estocadas, pero no siempre os libra de vuestra malhadada afición a buscar gresca. No es ése el destino que sueño para Haitiké.

—Nadie tiene el destino que sueñan para él —puntualizó Ojeda seriamente—. Y menos aún cuando se nace a caballo entre dos razas que se odian casi desde el momento en que se conocieron. Si le enseñáis latín y humanidades, tal vez el día de mañana hagáis de él el primer clérigo aborigen, pero siempre será un clérigo sumiso y acomplejado. Pero si por el contrario le enseñáis a defenderse, se demostrará a sí mismo y demostrará a otros muchos como él que la mezcla de sangres no tiene por qué ser una carga insoportable.

—Si no le matan antes.

—Morir no ha sido nunca el peor de los remedios.

—Palabras de soldado. No me valen. —Ingrid señaló con un gesto la ancha bahía que se abría ante ellos—. Y al fin y al cabo —añadió— tengo la impresión de que Haitiké no será un clérigo ni soldado. Será marino.

—Ningún marino se ahogó antes por saber manejar una espada —argumentó sonriente el otro—. Hagamos un trato: yo le enseño cómo debe dar una estocada, y vos por qué no debe darla. Al fin y al cabo, y nos pongamos como nos pongamos, será siempre su conciencia la que decida.

—¿Lo decís por experiencia? —quiso saber la alemana—. ¿Cuántas veces os ha frenado la conciencia a la hora de atravesar a un enemigo?

—Casi todas. Si no fuera por ella, en la hoja de mi espada no se podrían contar veintiséis muescas, sino ochenta. Jamás maté a quien tan sólo me ofendió, sino a quien, además, lo merecía. Como comprenderéis, llamarme «enano fanfarrón» se castiga con una cicatriz, no con la muerte, puesto que no soy un sádico asesino.

—Si alguna vez lo hubiera creído no os hubiera permitido frecuentar mi casa —le hizo notar la ex vizcondesa dejando entrever por el tono de su voz el profundo afecto que sentía por el conquense—. Entiendo vuestras razones, pero quisiera abrigar el convencimiento de que el niño no hará nunca mal uso de cuanto aprenda.

—Eso nadie puede garantizarlo. Le enseñaré esgrima, no una educación que tiene que correr de vuestra cuenta. —Alonso de Ojeda cambió de improviso el tono de voz—. Y hablando de otra cosa... —añadió—. ¿Tenéis alguna idea sobre lo que piensan hacer los Colón?, porque lo cierto es que empieza a fastidiarme depender tanto de sus caprichos. Se creen los dueños de cuanto está a este lado del mar, y si no abren pronto la mano a la conquista de nuevas tierras, seremos muchos los que lo hagamos a sus espaldas.

—Andad con cuidado porque son gente muy celosa

de sus privilegios y por menos de eso pueden ahorcaros —fue la respuesta de la alemana—. Lo único que sé, es que si Don Bartolomé comprueba que las minas de oro del río Ozama son tan ricas como asegura Miguel Díaz, tendremos que empezar a pensar en mudarnos. —Se detuvo para tomar asiento en el tronco de una palmera que se extendía casi paralela al suelo y solía ser uno de sus refugios predilectos y añadió con pesar—: Por cierto, corre un rumor que imagino que os afecta: parece ser que Canoabo se arrojó al mar durante su viaje a España.

Ojeda, que había ido a tomar asiento a su vez sobre la arena, apoyándose en el tronco de otra palmera, extendió la mano, tomó un verde coco caído y comenzó a abrirlo con ayuda de su espada al tiempo que replicaba sin mirarla.

—Lo sabía —señaló—. Pero si queréis que os confiese la verdad, no lo lamento. Era un cacique cruel y un feroz enemigo, pero era también un valiente guerrero que amaba la libertad y no conseguía acostumbrarse a las cadenas. Siempre me opuse a que lo tratasen como a un esclavo y me horrorizaba la idea de que lo pasearan por las ciudades y los caminos como un despojo humano o un triste botín de guerra. No me sorprende que se suicidara, porque insisto en que la muerte no tiene por qué ser la peor de las suertes.

—Peor es tener que vivir lejos del ser al que se ama, pero mientras lo hacemos conservamos la remota esperanza de que algún día reaparecerá para decir que aún nos recuerda.

—En vuestro caso volverá para juraros que no dejó de pensar en vos ni un solo día.

—Eso es hermoso, pero ilusorio. Por desgracia el amor de los hombres suele ser fogoso y apremiante, pero olvidadizo y breve... —Hizo una larga pausa y le lanzó una mirada cargada de intención—. Como el vuestro por Anacaona.

—Amo a Anacaona con toda la intensidad que alguien como yo puede amar —fue la sincera respuesta—. Pero ya se lo advertí en su día: soy ante todo un hombre de armas que atravesó el océano soñando con conquistar imperios, no princesas. Si permitiera que su hermosura o su apasionamiento me apartaran de mi objetivo, acabaría odiándola.

—¿Y cuál es ese objetivo? —quiso saber la alemana—. ¿Pasar a la Historia como vencedor de caciques indígenas y opresor de pueblos inocentes que en nada os ofendieron?

—Mi ambición nunca ha sido vencer y oprimir —replicó él con absoluta sinceridad—. Sino convencer y libertar. Convencer a unos ignorantes salvajes de que existe un Cristo que a todos nos redime, y liberarles de la terrible esclavitud de primitivas costumbres en las que a menudo se devoran los unos a los otros o se entregan abiertamente a los más odiosos pecados, incluida la sodomía.

—No existe más pecado que aquel que nos marca nuestra propia conciencia, ni más libertador del alma que ella misma. ¿Quién nos ha dado el mandato supremo que justifique ese ansia de imponer a otros pueblos nuestra moral o nuestras costumbres?

—Dios.

—¿Nuestro Dios o los de ellos?

—Dios tan sólo hay uno.

Se inició entonces una vez más la eterna polémica que enfrentaba al Capitán español Alonso de Ojeda, nacido en el seno de una fanática familia conquense, y la alemana Ingrid Grass, educada por un padre ateo y liberal en la corte bávara, y aunque no solía llegar la sangre al río, ni se acostumbraba a pronunciar una palabra más alta que la otra, solían concluir en duros y acalorados enfrentamientos en los que cada cual defendía con notable firmeza sus personales puntos de vista.

Tal discusión no constituía al fin y al cabo, sin embargo, más que un leve reflejo de aquella otra que —a nivel mundial— dividía a los contendientes en dos bandos irreconciliables que defendían por un lado el derecho del «descubridor» a aposentarse en las nuevas tierras implantando en ellas su fe y sus costumbres, y por otro el derecho del aborigen a continuar viviendo conforme a sus antiquísimas tradiciones.

Cinco siglos más tarde la controversia se mantendría aún vigente, pero aquellos dos fieles amigos que argumentaban sobre la arena de una playa haitiana en las postrimerías del mil cuatrocientos aún mantenían la absurda ilusión de que podrían zanjar el tema tratando de convencerse mutuamente.

Apenas a una legua de distancia, en «Isabela», pocos aceptaban sin embargo la idea de conceder a los nativos la más mínima oportunidad de ser libres, motivo por el que los escasos y maltrechos supervivientes de la terrible epidemia que había arrasado la isla, se veían abocados a trabajar para los invasores con la inconsistente disculpa de que a cambio de su sangre y su sudor en esta vida, accederían a la remota posibilidad de salvar su «pecadora» alma allá en la otra.

Unos indígenas que jamás se habían planteado con anterioridad la posibilidad de tener un alma inmortal, descubrían de pronto que a cambio del futuro de ese alma en un paraíso del que tampoco habían tenido hasta el momento la más mínima noticia, tenían que renunciar a todo cuanto de hermoso y querido les había proporcionado su plácida existencia de felices ignorantes.

Encontrar oro en lo más profundo de las minas o en los rápidos de los ríos, labrar la tierra, sufrir las mordeduras de las serpientes al desbrozar la selva, enfrentarse a los tiburones bajando al fondo del mar a buscar perlas, construir absurdas y calurosas «chozas» de piedra, o remover los orines y las heces de sus «conquistadores», era el precio que debían pagar por adelantado a cambio de una ilusoria promesa de redención eterna.

El resultado lógico fue que la mayoría escaparon a lo más profundo de junglas y montañas o embarcaron en sus frágiles canoas rumbo a otras islas a las que aún no hubiera llegado el ansia reformista de los hombres barbudos, y eran ya también infinidad los que se negaban a pagar el impuesto exigido por Colón de una calabaza de polvo de oro por mes y por familia.

Y casualmente fue por aquellas fechas cuando desembarcó en «Isabela» el hombre que a la larga sería el causante de la más terrible catástrofe que habría de afectar jamás a toda una raza, provocando la muerte de millones de sus miembros y lanzando sobre ella el mayor cúmulo de desgracias que la Historia hubiera conocido o volviera a conocer en el futuro.

Se llamaba Bamako, y era un gigante con la fuerza de un hércules; una torre de músculos con cara de niño, un hombretón sencillo y bueno como pocos, tan escaso de luces como sobrado de capacidad de sacrificio, acostumbrado desde siempre a soportar sin la más mínima protesta los más duros esfuerzos, silencioso y sumiso, servicial y afectuoso, tranquilo y sonriente; una auténtica joya en fin para quien tuviera la inmensa suerte de hacerse con sus inestimables servicios.

Su afortunado amo era, por el momento, el armador de *La Dulce Noia,* una carraca ibicenca con la que acudía por primera vez a «La Española» con la sana intención de iniciar un próspero comercio con el Nuevo Mundo, y que lo había ganado en el transcurso de una partida de naipes a un mercachifle veneciano, quien a su vez se lo había comprado al jefezuelo de su aldea de origen, allá en las costas senegalesas.

En cuanto lo vio, cargado como un mulo bajo un fardo, sudoroso y sonriente, sosegado y amable, el poderoso Licenciado Hernando Cejudo se obsesionó con la nada descabellada idea de que aquel negrazo que semejaba un faro de reluciente ébano era lo que estaba necesitando para cuidar su finca, ya que jamás había conseguido que entre una docena de «indios» se la mantuvieran en decorosas condiciones.

Tras meditarlo mucho, una mañana se encaminó con paso firme a la taberna para colocar sobre la mesa tras la que se sentaba el ibicenco dos pesados talegos de oro en polvo.

—Esto por vuestro esclavo —dijo.

El otro se llevó uno de los mayores soponcios de su vida, puesto que el inmenso Bamako constituía la más preciada de sus posesiones; una joya viviente de la que se sentía especialmente orgulloso y satisfecho; un siervo sin fallos en un mundo en el que hasta el más fiel de los criados acababa convirtiéndose en enemigo en casa; alguien de quien no hubiera deseado desprenderse por nada de este mundo; por nada, excepto quizá por dos pesados talegos de oro en polvo.

—El oro es el oro —se limitó a musitar mientras gruesos lagrimones le corrían por las mejillas al comprender que ya no volvería a extasiarse con la prodigiosa visión de aquella portentosa máquina siempre dispuesta a cumplir órdenes como si le estuvieran haciendo un favor por darle más trabajo—. Sé que pasaré el resto de mi vida lamentando este trato, pero también sé que pasaría el resto de mi vida lamentando no haberlo aceptado. —Lanzó un hondo y resignado suspiro—. ¡Pido a Dios que me libre de tales tentaciones, porque lo que es yo, nunca he sabido resistirlas...!

Fue así como Bamako pasó a ser propiedad del Licenciado Cejudo, cuya existencia se transformó como por ensalmo, ya que en lugar de tener que pasarse el día bregando inútilmente con una partida de indiferentes aborígenes a los que parecía tenerles absolutamente sin cuidado que crecieran los tomates, comieran los caballos, o se acarrease el agua desde el pozo, se limitaba a tomar asiento en el porche, a observar maravillado cómo el incansable Bamako cumplía con su labor cantando alegremente.

Constituía en verdad un espectáculo ver a aquel torreón humano cargarse al hombro una barrica y trepar por los caminos como quien va dando un paseo, atento siempre a ceder el paso a los señores, saludar a las damas e incluso corretear juguetón tras los innumerables mocosos que se convirtieron de inmediato en sus amigos.

Más que su hermosa casa, más que sus tierras, su oro o su influencia cerca del Almirante, a Cejudo le envidiaron muy pronto al negro, y fueron tantas las propuestas de compra que recibió en el transcurso de las semanas siguientes, que una noche se presentó de nuevo en la taberna y le espetó al ibicenco que se disponía a zarpar ya de regreso:

—Dos talegos de oro por cada Bamako que traigáis.

—Negros hay muchos —fue la respuesta—. Bamakos, pocos.

—Correré el riesgo.

El otro hizo un rápido recuento de lo que le había rendido una nave repleta de víveres y piezas de tela en comparación con el portentoso beneficio que le reportara el esclavo, e inquirió observando al otro con profunda fijeza:

—¿Pagaríais cincuenta al contado?

—En el momento en que pongan pie en tierra.

—Contad con ellos.

—¿Cuándo?

El ibicenco calculó ayudándose con los dedos mientras arrugaba el ceño concentrándose en el tiempo que emplearía en llegar a Cádiz, calafatear la carraca, emprender viaje a Senegal, adquiría la «mercancía» y cruzar de nuevo el océano aprovechando los alisios que comenzaban a soplar a mediados de septiembre, y por último señaló convencido:

—Primeros de noviembre si no surgen problemas.

—De acuerdo.

Se estrecharon la mano, y fue así como se selló un trato que durante los siglos venideros habría de conducir a millones de seres humanos al más cruel de los destinos posibles. El exceso de virtudes en una sola persona, pudo, curiosamente, provocar un inesperado daño, injusto, feroz y abominable.

Yacaré no había conseguido traer consigo el secreto del «curare», pero sí el del método «auca» de fabricar sus excepcionales cerbatanas.

Envió a los guerreros a la costa para que regresaran con largas tablas de «chonta» —una madera de color oscuro, dura y fibrosa, extraída de una alta palmera que crecía solitaria en mitad de la selva— y que trabajó luego con ayuda de hachas de piedra, estiletes de oro y afiladas conchas marinas, hasta obtener dos tiras planas por un lado y curvas por el otro, de unos dos metros de largo por cinco centímetros de ancho.

Trazó luego por la parte plana de cada una de ellas una delgada y rectilínea muesca que iba de punta a punta, y dejando dentro una liana firmemente trenzada, unió ambas tablas por las caras utilizando tres tipos de resina diferentes.

Cienfuegos y *Azabache* asistían fascinados al ingenioso proceso, ya que con ayuda de una ilimitada paciencia y el cuidado de un cirujano que no da un corte hasta estar completamente seguro de dónde debe darlo, el estrábico iba descubriendo a sus convecinos un arte de milenios que había ido a aprender a orillas del «Gran Río del que nacen los Mares».

Cuando ya unidas, ambas tablas habían formado una especie de larguísimo cono, firme y compacto, Yacaré anudó los extremos de la liana a sendos postes de «La Casa de las Palabras Importantes» distanciados entre sí unos diez metros, y se dedicó a deslizar de uno a otro extremo la ya incipiente cerbatana, al tiempo que iba introduciéndole por la boca arena cada vez más delgada, con lo que el continuo roce de la liana y la arena con la madera provocó que al cabo de una semana el ánima de aquella curiosa arma artesanal apareciese tan pulida y rectilínea como si se hubiese fabricado con el más sofisticado torno de precisión.

Ya sólo faltaba el veneno.

Sin «curare» cualquier cerbatana se convertía en un trasto inútil o en un arma mortal si se impregnaban sus dardos de una fuerte ponzoña, pero nunca en un instrumento genial que permitiese abatir silenciosamente a un animal para devorarlo a continuación sin riesgo a morir envenenado.

Era en definitiva, un arma excepcional para la guerra, pero no para la caza.

Y los «cuprigueri», que habían construido su «ciudad» sobre las aguas para evitar ser invadidos, jamás habían sido un pueblo agresivo, amante de las guerras.

—No veneno... —argumentaba siempre por tanto el anciano del millón de arrugas—. «Curare».

Pero resultaba evidente que ni las sacerdotisas dahomeyanas del templo de la diosa Elegba, *Señora de los Ofidios*, ni sus más astutos hechiceros, habían tenido jamás noticia alguna de la existencia de una ponzoña que paralizase instantáneamente el sistema nervioso al contacto con la sangre, pero no causase el menor daño al ser ingerido por el hombre.

Azabache se sentía por tanto profundamente confundida.

Cada dos o tres días remaba hasta la costa, a buscar en aquella *Tierra de Serpientes* «materia prima» que le permitiese llevar a cabo sus infinitos «mejunjes», y los muchachos del poblado se encargaban de abastecerle de loros, monos, ardillas y «capibaras» sobre los que experimentar, por lo que su cabaña se convirtió bien pronto en una especie de alborotado zoológico con aires de manicomio.

Cienfuegos se mostraba en completo desacuerdo con los padecimientos de tanto pobre bicho, pero la negra le hizo ver que resultaba inevitable.

—Fuiste tú quien me embarcó en esto al asegurar

que era una «Curare Maukolai» —le recordó—. Ahora no puedo decepcionarles.

—Nunca imaginé que resultase tan cruel —se lamentó el canario—. Algunas noches los gritos de esos pobres bichos no me dejan pegar ojo.

—¿Y crees que a mí me gusta hacerles sufrir? —quiso saber la africana—. Se me encoge el ombligo cada vez que tengo que hacerles daño, pero no existe otra forma de comprobar los resultados.

—¡Déjalo entonces!

—¿Y qué será de nosotros? —inquirió la negra amargamente—. ¿Qué futuro nos espera aquí si no somos de utilidad? —Hizo un amplio ademán con la mano como queriendo mostrarle una vez más la peculiar aldea de hermosos palafitos—. Me gusta este lugar —añadió—. Es como haber regresado a casa, olvidando todo el horror que sufrí en estos años, y desearía pasar el resto de mi vida en compañía de Yakaré, sintiéndome una «cuprigueri» y sabiendo que me necesitan. —Hizo una corta pausa y le miró de frente—. Si descubro el secreto de ese maldito potingue, mis problemas habrán acabado para siempre.

—El precio es demasiado alto.

—Ningún precio es demasiado alto si lo que está en juego es la vida de un hijo.

El cabrero la observó dubitativo.

—¿No estarás tratando de decirme...?

Azabache asintió completando su frase:

—...que estoy esperando un niño. Así es.

—¡Diablos! ¿Te has vuelto loca?

—¿Qué imaginabas que ocurriría, si Yakaré no me deja descansar ni un solo día? —Cambió el tono de voz—. Aún tardará en nacer pero para entonces necesito haber encontrado esa fórmula ya que en ese caso mi hijo será importante, y el día de mañana seguirá siéndolo porque nadie más conocerá un secreto que todos necesitan. —Alargó la mano y acarició con afecto la del gomero—. ¿Entiendes ahora por qué no puedo evitar que sufran esos bichos?

—Intento entenderlo, pero tendré que mudarme de casa. Se me rompe el alma al oírlos.

—El veneno es mala cosa —admitió ella extrañamente seria—. ¡Muy mala cosa! Mi hermano mayor murió envenenado y le recuerdo sufriendo tanto que aullaba pidiendo que le mataran. Algunas noches aún resuenan sus gritos en mis sueños.

—¿Quién lo hizo?

—Nunca lo supimos. Tal vez un marido celoso; tal vez una amante despechada. Siempre tuvo mucho éxito con las mujeres.

—Triste país debe ser ese en el que se solucionan de forma tan terrible los problemas domésticos... —Indicó con un ademán de la cabeza las rústicas jaulas que llenaban la estancia—. Encuentra pronto esa fórmula —suplicó por última vez.

Pero a la africana le faltaba un elemento básico, desconocido sin duda en su país de origen, y todos sus esfuerzos se estrellaban a la hora de la verdad, ya que si bien había conseguido una pasta espesa y compacta con apariencia semejante al «curare» y que mataba a un animal a los pocos minutos, ni su efecto era instantáneo, ni se producía evidentemente por parálisis nerviosa.

Tales fracasos y lo macabro de su diaria actividad contribuyeron a ir minando poco a poco el alegre carácter de *Azabache*, que con el tiempo dejó de ser la muchacha despreocupada y divertida que el canario encontrara a bordo del *Sao Bento*, para convertirse en un ser hosco e irritable, aunque tal vez influyera mucho en ello el hecho de que al perder sus hermosas formas por culpa de su futura maternidad, su estrábico amante comenzaba a mostrar un desmedido interés por las carantoñas que continuamente le dedicaban la mayoría de las solteras del poblado.

No cabía duda de que Yakaré se había convertido en un auténtico héroe para su gente; el más audaz y decidido de sus guerreros; el único que a lo largo de la historia de los «cuprigueri» había sido capaz de ir y volver a la distante tierra de los «Aucas», y debido a ello, no existía una sola chica que no estuviese dispuesta a emplear todas sus armas femeninas en su afán por arrebatárselo a la negra.

Los celos hicieron por tanto mella en la dahomeyana, y *Cienfuegos* no pudo menos que advertirle el serio peligro que corría si se dedicaba a exteriorizarlos con su natural vehemencia.

—Por lo que he aprendido en los últimos años —señaló—, los nativos de todas estas tierras suelen tener unas costumbres muy libres, y la fidelidad no constituye la principal de sus virtudes. Enfurruñándote con Yakaré tan sólo conseguirás perderle más aprisa.

—Nadie te ha pedido consejo.

—Nadie suele pedirlos cuando no quiere recibirlos —admitió el gomero—. Pero los amigos estamos para eso... —Le golpeó suavemente con el dedo índice el ya notorio vientre—. Ahora no estás en condiciones de luchar: dedícate a tu hijo y dentro de unos meses recuperarás a Yakaré sin haberle amargado la vida.

—Es fácil decirlo porque eres hombre, tu rubia está muy lejos y ha pasado ya demasiado tiempo.

—En amor —sentenció el isleño—, el tiempo y la distancia son como el viento: avivan la llama grande y ahogan la pequeña. Y la mía aún arde con violencia. —Le acarició la mejilla con profundo afecto—. Sé que es un consejo doloroso, pero acéptalo. A Yakaré le vendrá bien dormir un tiempo en otra hamaca.

—Mataré a quien le ponga la mano encima.

—¿Con veneno? —inquirió él con marcada intención—. ¡No digas tonterías! Tú has pasado ya por demasiadas cosas, como para darle importancia a un polvo más o menos... Deja pasar el tiempo.

Se diría que, pese a su malhumor y sus protestas, *Azabache* no echó en saco roto la advertencia, ya que durante las semanas que siguieron fingió cerrar los ojos a las evidentes infidelidades del estrábico que incluso compartía con *Cienfuegos* algunas de las más liberalizadas muchachas del poblado, pero todo cambió como por ensalmo la lluviosa mañana en que la africana cruzó la inestable pasarela que unía ambas cabañas y señaló con lágrimas en los ojos:

—«El Consejo de Ancianos» no quiere que tenga un hijo negro.

El canario le dio un azote de despedida a la gordita con la que acababa de pasar la noche, e inquirió sorprendido:

—¿Cómo has dicho?

—Que los viejos han acordado nombrar a Yakaré jefe de la tribu, pero no están dispuestos a aceptar que su primogénito sea negro.

—¡La madre que los parió! —se asombró el canario—. ¿Cómo es posible que sean racistas si nunca habían visto un negro antes?

No existía, desde luego, una respuesta válida a tal pregunta, pero resultó evidente que en «La Casa de las Palabras Importantes» se había discutido durante horas sobre la posibilidad de que la extraña mujer negra que no acababa de demostrar sus habilidades como «Curare Maukolai», diera a luz un hijo de piel tan oscura como la suya; un auténtico demonio que tal vez orinase un apestoso «mene» que acabaría contaminando las aguas del lago, haciéndolo arder, y abrasando a todos los habitantes del poblado, como en realidad ocurriría siglos más tarde.

—Ella no es un demonio —admitían—. ¿Pero quién nos garantiza que su hijo no lo sea? Si quiere que lo consideremos un «cuprigueri», tendrá que ser tan blanco como los «cuprigueri». En caso contrario es preferible que no nazca.

Había una velada pero firme amenaza en sus palabras, y *Cienfuegos* no necesitó esforzarse para llegar a la conclusión de que el futuro de la criatura que venía en camino se presentaba muy negro, y no debido únicamente al color de su piel.

—¿Qué posibilidades hay de que nazca blanco? —quiso saber.

La africana le observó desconcertada.

—¿Y yo qué sé? —protestó—. No creo que nunca haya nacido antes un hijo de un «cuprigueri» y una negra.

Ni tampoco he visto nunca al hijo de un blanco y una negra. ¿Lo has visto tú?

—¿Yo? —se sorprendió el isleño—. ¿Dónde? Sabes bien que ni siquiera había visto a nadie de tu raza. Tenía un amigo al que llamábamos Mesías *el Negro*, pero era más bien aceitunado... —Hizo una corta pausa—. Se lo comieron los caníbales.

—¡Hermoso consuelo! —*Azabache* parecía en verdad confusa puesto que su ignorancia con respecto al pequeño que esperaba era a todas luces absoluta—. Tal vez fuera de África no nazcan negros —aventuró con más esperanza que convencimiento—. ¿Tú qué opinas?

—No tengo ni la menor idea —admitió el gomero—. No sé absolutamente nada sobre razas, pero lo que no entiendo, es a qué viene esa estúpida ocurrencia de nacer con la piel negra.

—Será por el calor.

—Más calor que aquí no creo que paséis en Dahomey y esta gente tiene la piel bien blanca.

—Quizá por los mosquitos...

—¡Pues anda que no hay mosquitos en este lago! —Agitó la cabeza negativamente—. Tiene que existir alguna otra razón —apostilló—. ¿Pero cuál?

Fuera cual fuera, el ignorante *Cienfuegos* no era desde luego el hombre llamado a averiguarla ni su joven amiga estaba en condiciones de serle de gran ayuda en tal empeño, pues entre ambos lo único que conseguían era desgranar un rosario de absurdas teorías sin sentido, ya que no se debía olvidar que en ciertos aspectos eran los primeros seres humanos que se enfrentaban a una serie de problemas que jamás había afectado a nadie anteriormente.

Un cabrero analfabeto bajado de las montañas de La Gomera y una esclava nacida en el poblado lacustre de Ganvié, no constituían desde luego la pareja ideal para desvelar los misterios que encerraba un Nuevo Mundo prodigioso y diferente, y por lo tanto sus actos, palabras y reacciones, constituían con frecuencia mucho más un conjunto de estupideces sin sentido, que la forma de comportarse propia de quien hubiese tenido la oportunidad de estudiar los hechos con un mínimo de distanciamiento y objetividad.

El pelirrojo isleño había demostrado ser un individuo astuto y de notable inteligencia natural, capaz de salir con bien de las más difíciles situaciones, pero aun así resultaría erróneo confundir sus innegables dotes de sobreviviente nato o su diabólica picardía, con una preparación intelectual a las que jamás había tenido acceso.

Por todo ello, el día en que *Azabache* acudió a notificarle con una brillante luz de esperanza en los ojos, que una vieja comadrona le había asegurado que «El Gran Blanco» podía conseguir el milagro de que su hijo naciera con el color de piel de los «cuprigueri», no pareció escandalizarse demasiado.

—¿Y quién es ese «Gran Blanco»? —se limitó a inquirir.

—Eso no ha querido explicármelo —fue la extraña respuesta—. Pero según parece, lo encontraré siguiendo siempre hacia el sur. Todo el mundo le conoce y no existe posibilidad alguna de pérdida.

—¿Pero qué es? —insistió el canario—. ¿Un brujo, un santón, un curandero...?

—No lo sé. Tan sólo sé que es «El Gran Blanco» y todo lo puede.

Cienfuegos observó con tristeza a aquella muchacha ahora desconcertada y frágil, que parecía haber cambiado en todo menos en el color desde el día en que la conociera, y le entristeció el velo de angustia que se descubría en sus ojos, como si estuviera absolutamente convencida de que su futuro dependía de que un misterioso hechicero consiguiese el milagro de que su hijo naciera con el mismo color de piel que los niños «cuprigueri».

—Yo no entiendo mucho de muchas cosas —señaló al fin con evidente apatía—. Pero sinceramente dudo que alguien pueda influir sobre las razas. Cada cual nace como tiene que nacer y no hay más que hablar puesto que de lo contrario todas las madres se las ingeniarían para que sus hijos fueran los más perfectos.

—No en todas partes existe un «Gran Blanco», y no todas las madres se enfrentan al problema de ver a su hijo amenazado de muerte o repudiado —replicó serenamente la dahomeyana colocándole la mano sobre el antebrazo al añadir—: Y no te preocupes por mí; no correré ningún peligro.

—¿Que no correrás peligro vagando por selvas y tierras de salvajes? —se escandalizó el isleño—. ¡Tú estás loca!

—No —puntualizó ella seriamente—. No lo estoy. Estoy más cuerda que nunca, ya que sé que veré al «Gran Blanco» y todo se arreglará.

El otro llegó a la conclusión de que cualquier intento de obligarla a desistir de su idea constituiría un empeño inútil, por lo que concluyó encogiéndose de hombros con gesto fatalista:

—De acuerdo —admitió—. ¿Cuándo nos vamos?

—Tú no vas —fue la firme respuesta—. Iré sola.

—¿Sola? —repitió asombrado *Cienfuegos* mientras la señalaba de arriba abajo con la mano—. ¡Mírate! —pidió—. Con esa barrigota no llegarías a parte alguna y jamás me perdonaría si te dejara marchar así. Los amigos están para las ocasiones.

—Prefiero que no vengas —insistió la muchacha—. Estoy segura de que el viaje no te gustaría.

El canario le lanzó una mirada que pretendía ser cómicamente despectiva, para ir a tumbarse en la ancha hamaca que se extendía de parte a parte de su rústica vivienda.

—Ninguno de los viajes que he hecho hasta el momento me ha gustado especialmente —le hizo notar—. Y uno más no va a asustarme. Si hay que enfrentarse a esos salvajes, nos enfrentamos juntos y en paz.

—No creo que sea necesario enfrentarse a nadie —replicó ella con extraña calma—. Todo aquel que acude a visitar al «Gran Blanco» puede atravesar libremente el territorio de los «pemeno», «timote», «motilones», «araguao» y «chiriguana», siempre que cumpla los requisitos que marcan el hecho de ir en son de paz.

—Pues sí que estás tú bien informada —se sorprendió el gomero—. ¿Y cuáles son esos requisitos, si puede saberse?

—Nada especial —replicó con fingida desgana la negra que al parecer no deseaba comprometerse—. Costumbres... Me han asegurado que si las sigues al pie de la letra, te conviertes en una especie de «tabú» intocable incluso para los crueles «motilones» que constituyen la tribu más temida de estas tierras.

—¿Tanto poder tiene ese «Gran Blanco»?

—Por lo visto, sí.

No obstante, a *Cienfuegos* no le convencieron en absoluto tales explicaciones presintiendo que algo extraño se le ocultaba, pero *Azabache* no se mostró dispuesta a dar más detalles, y el gomero tuvo que conformarse con aceptar que su amiga decidiese el día y la forma en que habrían de emprender un impreciso y misterioso viaje en busca de un no menos misterioso personaje al que todos conocían por el curioso nombre de «El Gran Blanco».

Por ello, una calurosa noche de luna llena en la que se diría que el sol no había acabado de ocultarse en el horizonte, tal era la claridad con que se distinguían hasta los más mínimos detalles del bosque de palafitos que sostenían las cabañas, ni siquiera se molestó en protestar cuando la africana acudió a pedirle con susurros que embarcase en una de las dos canoas que se balanceaban silenciosamente bajo ellos.

—¿A qué viene tanto misterio? —quiso saber el gomero—. ¿Acaso estamos huyendo?

—No —musitó la negra sin alzar la voz—. Pero no quiero que Yakaré descubra que nos vamos. Probablemente intentaría detenernos.

El cabrero llegó a la conclusión de que más bien lo que en verdad deseaba era no llevarse la terrible decepción de descubrir que el padre de su hijo no hacía nada por impedir tan peligrosa aventura, pero optó por recoger sus cosas y descender en silencio a la piragua, convencido de que jamás regresaría al pacífico poblado en el que transcurrieran algunos de los más hermosos meses de su existencia.

A medida que se alejaban remando mansamente y la quebrada línea de irregulares techos de hojas de palma iban quedando atrás bellamente iluminados por aquella inmensa luna, el canario *Cienfuegos* abrigó una vez más la desagradable sensación de que se lanzaba al abismo dejando de ser dueño de su destino, para pasar a ser de nuevo víctima de los caprichos de alguien que se divertía en zarandearle sin compasión alguna.

Dijera lo que dijera *Azabache*, el largo periplo a través de selvas, pantanos y montañas en procura de un mítico hechicero no podría convertirse nunca en un tranquilo paseo, sino que constituiría sin duda la reanudación de la difícil existencia, repleta de sobresaltos e imprevistos a que parecía estar abocado desde el día en que se le ocurrió la estúpida idea de colarse como polizón en una de las tres carabelas que se disponían a cruzar por primera vez el inmenso «Océano Tenebroso».

La estancia en el acogedor poblado «cuprigueri» no había sido por tanto más que un paréntesis de paz, y su eterna mala suerte exigía ahora que se precipitase una vez más en la vorágine de un mundo exterior plagado de peligros.

Pisar tierra después de tantos meses viviendo sobre las aguas se le antojó por ello como chocar bruscamente con la desagradable realidad, y comprendió por qué tantas mujeres nacían y vivían en el centro del lago sin demostrar el más mínimo interés por visitar siquiera sus orillas, y por qué eran cada día más los hombres que se recluían en los palafitos renunciando a cuanto no fuera la inconcebible paz de una existencia hecha de hermosos amaneceres, calurosos días de pesca, y dulces noches de amor y risas.

Apenas se vislumbraba una primera claridad hacia levante, cuando ya las tres mujeres que les habían acompañado iniciaron la ceremoniosa tarea de prepararles para el viaje, para lo cual les obligaron a desnudarse por completo, y tras un largo baño en las tibias agua les embadurnaron de un oloroso aceite de palma que dejó sus cuerpos tan suaves como una sedosa tela sobre la que se aplicaron a la tarea de dibujar pacientemente infinidad de signos mágicos empleando principalmente para ello negra tintura de «genipapo» y roja de semilla de «achiote».

El delicado trabajo sobre la blanca piel del gomero no ofrecía al parecer especiales dificultades, pero el cuerpo de *Azabache* enfrentó a las improvisadas artistas a irresolubles problemas ya que el «genipapo» desaparecía pronto a la vista, mientras que el rojo no destacaba con la fuerza que hubiera sido de desear.

Por desgracia la ciencia pictórica «cuprigueri» no iba mucho más allá en cuestión de colores básicos, por lo que dado el escaso éxito obtenido con la mujer, decidieron compensarlo cargando las tintas sobre *Cienfuegos*, hasta el punto de que cuando se sintieron satisfechas no quedaba prácticamente un solo centímetro de la enorme anatomía del isleño que recordase su tonalidad de origen.

Al observar la forma en que *Azabache* le miraba, el cabrero agitó la mano negativamente:

—Mejor no digas nada —suplicó—. Imagino la pinta que debo tener y me entran ganas de echarme a llorar.

Pero si el pobre hombre suponía que con la pintura habían acabado sus desdichas, muy pronto averiguó que se encontraba equivocado, ya que por último las mujeres extrajeron de una de las canoas dos inmensas capas de blancas plumas, así como sendos tocados que les ajustaron a la cabeza de tal forma que al concluir semejaban un par de zanquilargos pajarracos de ridículo aspecto.

—¡Dios! —sollozó el canario—. ¡No puedo creer que pretendan que vayamos de esta guisa por el mundo!

—A partir de ahora sois aves peregrinas en busca del «Gran Blanco» —fue la respuesta de la más vieja de las «cuprigueri»—. Pacíficas garzas del lago en largo vuelo durante el que nada ven, nada oyen y nada dicen. —Su tono de voz era profundo y grave, sin opción a réplica—. ¿Entendéis a lo que me refiero? —concluyó.

—¿Pretendes decir que no podremos hablar con nadie? —se asombró *Cienfuegos*—. ¿Cómo averiguaremos entonces el camino?

—Preguntando con el canto del pájaro sagrado: ¡«Yaaaa-cabo»! —fue la respuesta—. Ése es el único sonido que los peregrinos pueden emitir durante el tiempo que permanecen en territorio enemigo: ¡«Yaaaa-cabo», «Yaaaa-cabo»! Gritadlo y sabrán que viajáis en son de paz. Os indicarán el camino, pero recordad que no podéis pronunciar ninguna otra palabra ni intervenir en nada de cuanto suceda a vuestro alrededor. Sois como aves.

—¡Mierda!

—¿Cómo has dicho?

—He dicho mierda —insistió *Cienfuegos*—. De todas las cosas absurdas que me han ocurrido, ésta es sin duda la más ridícula. ¿A quién se le ocurre, que tenga que convertirme en pájaro y «volar» en compañía de una negra preñada?

—Es la ley. ¿Acaso no existen en tu país los peregrinos?

—No lo sé —admitió sinceramente el gomero—. Imagino que sí.

—Pues para que un peregrino viaje sin riesgos, debe aceptar determinadas condiciones. Éstas son las que imponen los «pemeno» y, sobre todo, los sanguinarios «motilones». ¡Ojo con ellos! Odian a los extranjeros.

—¡Si llevan esta pinta no me extraña!

Intentó por última vez resistirse a la idea de emprender un largo viaje por tierras ignotas disfrazado de aquel modo, pero las «cuprigueri» se mostraron inflexibles en cuanto se refería a tan primitivos hábitos de penitente, recalcando una y otra vez la advertencia de que, sin ellos, su vida no valdría una brizna de paja de allí en adelante.

Por último, y ya cansada de tanta protesta, la que parecía llevar la voz cantante señaló un verde montículo distante unas cuatro leguas y añadió dando por concluida la discusión:

—En aquella colina empieza el territorio de los «pemeno» y vivir o morir depende de vosotros.

Reembarcaron sin molestarse en volver ni tan siquiera una vez el rostro, y *Cienfuegos* se limitó por tanto a tomar asiento en una piedra y mascullar:

—Sería un buen momento para decir aquello de que es preferible morir con dignidad a vivir en el oprobio, pero la verdad es que sin testigos la frase no merece la pena... —Movió los brazos de forma que las plumas de la capa se agitaran como las alas de un desmañado avestruz que intentara volar y añadió desabridamente—: Este año sí que ha llegado pronto el carnaval.

—Te advertí que no te gustaría el viaje —le hizo notar la negra—. Si hay algo que los hombres soportáis mal es el ridículo... —No pudo evitar una leve sonrisa al tiempo que agitaba de un lado a otro la cabeza—. Y lo cierto es que estás hecho un adefesio.

—Pues tú, con esa tripa y esas plumas tampoco ganarías un concurso. —Chasqueó la lengua malhumorado—. Puede que no nos tiren flechas —admitió—. ¡Pero lo que son piedras...!

Inició la marcha con la misma desgana que hubiera empleado si se encaminase directamente al matadero, pero a los pocos metros dio un cómico salto, agitó de nuevo las «alas», y graznó sonoramente:

—¡«Yaaaa-cabo»! ¡«Yaaaa-cabo...»!

Su Excelencia el Capitán León de Luna, vizconde de Teguise, dueño de una tercera parte de la isla de La Gomera y una fastuosa casa solariega en Calatayud, primo lejano del Rey Fernando y ex esposo de Ingrid Grass, conocida ahora como *Doña Mariana Montenegro*, a punto estuvo de morir de un ataque de apoplejía el día en que descubrió que había sido engañado por Alonso de Ojeda y sus compinches, quienes le habían «reembarcado» rumbo a Cádiz haciéndole creer que navegaba hacia una portentosa isla en la que había sido descubierta la mágica «Fuente de la Eterna Juventud».

Su cólera hacia quienes le burlaran de forma tan ignominiosa dejó paso bien pronto a una profunda ira hacia sí mismo, ya que era lo suficientemente inteligente como para reconocer que cuanto le había ocurrido en «Isabela» era en el fondo culpa suya.

Mareado a todas horas, vomitando y con la cabeza a punto de estallarle, el interminable viaje de regreso a Europa se convirtió en un auténtico martirio, hasta el punto de que tuvo que emplear toda su fuerza de voluntad para no tomar la drástica decisión de lanzarse por la borda y poner fin así a sus innumerables padecimientos.

Traicionado por la mujer que amaba con un cabrero analfabeto que a su modo de ver más semejaba un simio que un auténtico ser humano, descubriendo luego cómo ella era capaz de seguirle al confín del Universo, aun a costa de renunciar a todo cuanto de valioso le había dado en este mundo, y escarnecido más tarde por los que debían ser sin duda sus amigos, la moral del

Capitán se encontraba tan malparada, que desaparecer para siempre se le antojaba la única salida digna para un hombre de su rango.

Lo que sufrió durante aquellos largos meses de cielo y mar sólo lo supo él mismo, y el odio que sentía por la mujer a la que tan profundamente había adorado se enconó a tal extremo que le pudrió el espíritu, convirtiéndole de un capitán antaño valiente y generoso, en un ser reconcentrado en su obsesión por la más cruel de las venganzas, a tal extremo que en su imaginación no cabían otras escenas que aquellas en las que se viese a sí mismo torturando a Ingrid Grass durante años.

Matarla no bastaba.

Si hubo un tiempo en que las ofensas se lavaban con sangre, había quedado atrás definitivamente puesto que ya no era cuestión de recuperar un trasnochado honor que había dejado de importarle, sino que tenía el convencimiento de que continuar viviendo resultaría una carga insoportable mientras no hubiese hecho padecer a la alemana una milésima parte de lo que había padecido por su causa.

El hombre es sin duda el único animal en el que un sentimiento consigue anular los instintos y sentidos logrando que objetos, olores y sonidos pierdan su auténtica dimensión para transformar en irreal la realidad, otorgando a las fantasías el protagonismo absoluto de la existencia, y sobre esa base, para el Capitán León de Luna, todo cuanto no estuviese relacionado con su imperiosa necesidad de hacer daño a su ex esposa, pasó por tanto a formar parte de una especie de universo secundario al que no merecía la pena prestar la más mínima atención por el momento.

El sol no calentaba, el viento no refrescaba, el pan no aplacaba el hambre, ni aun el agua calmaba la sed, puesto que no existían calor, frío, sed o hambre mientras continuase bullendo en su interior un odio incombustible que amenazaba con reducir su espíritu a cenizas.

Durante aquellos meses el océano fue más profundo que nunca.

Y el cielo más alto y más injusto.

Cuando por fin consiguió poner de nuevo el pie en tierra firme fue para buscar falso consuelo en las más sucias tabernas y hediondos prostíbulos de Cádiz, viendo zarpar las naves que seguían la ruta de su venganza, pero sabiéndose incapaz por el momento de encarar una nueva e insufrible travesía.

Los barcos se iban, él se quedaba, y transcurrió casi un año sin que ello significase que remitieran sus ansias de desquite, sino que, por el contrario, el rencor amasado con mimo día tras día, fue haciendo madurar un plan que habría de proporcionarle la seguridad de que nadie le impediría en esta ocasión el desagravio.

Por fin, el día en que un extremeño recién llegado de la isla le proporcionó la certeza de una tal *Doña Mariana Montenegro* no podía ser otra que su ex esposa, malvendió «La Casona» y las tierras de La Gomera, fletó la más veloz carabela de la costa andaluza, buscó un piloto que había hecho por dos veces el viaje de ida y vuelta a «La Española», y contrató los servicios de media docena de facinerosos que no hubieran dudado a la hora de asesinar a su propia madre por tres piezas de oro.

Zarparon una noche de agosto, sin luces y en silencio, pusieron rumbo al suroeste dejando a los diez días las islas Canarias por la banda de babor, y tras una movida travesía en la que su estómago no cesó ni un solo momento de incordiarle, fondearon una brumosa tarde de octubre en una tranquila ensenada a unas quince millas de «Isabela».

Aún aguardó tres días hasta saberse repuesto por completo, y por último armó a su tropa y emprendió la marcha con tanto o más sigilo que el que empleaba cuando acudía a la isla de Tenerife a tratar de sorprender a los salvajes «guanches».

Desembocaron a media noche en la amplia bahía, y lo primero que le sorprendió fue la quietud y el silencio de la ciudad dormida, sin una luz en las casas, una nave en el «puerto», una voz alertando a los centinelas, o el ladrido de un perro vagabundo.

—Esto no me gusta —oyó mascullar a sus espaldas—. Esa ciudad parece muerta.

—Olvida la ciudad —musitó autoritario—. Lo que importa es la granja que se alza entre la arboleda al final de la playa.

—¿Y si todo esto se encuentra repleto de salvajes?

—Habremos venido a morir lejos de casa.

—No era ése el trato —rezongó un gigantón que hedía a sudor y vómitos—. Pero ya que estamos aquí, no es cuestión de volverse con las manos vacías.

Continuaron su sigiloso avance, cada vez con más miedo, atentos a un rumor o un simple movimiento, convencidos de que en cualquier instante caería sobre ellos una sanguinaria banda de aborígenes armados y lamentando la mayoría de los malencarados asesinos la pésima ocurrencia de haber aceptado acompañar a un marido celoso en su infernal travesía del océano.

Creían ver fantasmas en todas partes, aunque tan sólo el manso rumor de las olas al acariciar la pacífica playa llegaba a sus oídos, y penetraron por fin en el amplio recinto de la granja, saltando como sombras las cercas de las cochiqueras ahora abandonadas, para introducirse sigilosamente en unas vacías cabañas que debía hacer ya semanas que se encontraban deshabitadas.

El Capitán León de Luna soltó un sonoro reniego.

Alguien encendió una antorcha y al poco apareció el maloliente gigantón empujando a un espantado chicuelo que arrastraba una pierna.

—¿Quién eres? —inquirió el vizconde de Teguise inclinándose amenazadoramente sobre él.

—Bonifacio Cabrera —fue la débil respuesta.

—¿Por qué estás aquí?

—Porque este tipo me obliga.

Un violento bofetón le hizo sangrar por la nariz, lanzándole contra la pared de barro, y ya desde el suelo, añadió ahora mansamente:

—Esperaba que un barco me recogiera.

—¿Para llevarte adónde? —quiso saber el Capitán aproximándose de nuevo para observarle mejor e intentar descubrir si le mentía.

—A Castilla —replicó el otro como si le costara imaginar que existía otra respuesta—. Todos han vuelto a Castilla.

—¿«Todos»? —se horrorizó el de Calatayud.

—Todos... —corroboró el muchacho—. Al menos todos los que aún estaban sanos. La peste acabó con la mayoría.

—¡¡La peste!!

—¡Dios sea loado! ¡¡La peste!!

La terrible palabra corrió de boca en boca, y más de uno advirtió cómo las piernas le temblaban, volviéndose a observar las paredes de la amplia vivienda como si en cada uno de sus rincones pudiera esconderse ahora la muerte.

—¡La peste! —repitió anonadado el Capitán de Luna—. ¿Qué fue de mi mujer, *Doña Mariana Montenegro*?

—¿El ama? —fingió sorprenderse el cojo—. El ama nunca tuvo marido.

—¡Calla y responde! ¿Ha muerto?

—No. Se marchó hace ya dos semanas.

—¡Por los clavos de Cristo! ¿Adónde?

—A Cádiz. Ya le he dicho que volvieron todos... —Hizo una corta pausa y añadió débilmente—: La isla ha sido abandonada.

—¿Y los Colón?

—También se fueron... —El cojo hizo un vago ademán con la mano como queriendo señalar hacia el punto en que se alzaba la ciudad—. Las casas y palacios han sido saqueados, tan sólo algunos enfermos vagan por las calles, y si los salvajes aún no nos han atacado, es porque han sufrido con más virulencia aún que nosotros el ataque del mal... —De improviso le aferró por el brazo y sollozó melodramático—: El Almirante prometió enviar un barco a por los supervivientes pero aún no ha llegado. ¿Me llevaréis con vos?

Enfurecido, el vizconde le apartó con brusquedad para ponerse en pie de un salto, y ante el asombro de todos los presentes ir a golpearse la frente contra el muro más próximo.

—¡¡No es posible!! —aulló roncamente—. ¡No es posible, Señor, que juegues conmigo de este modo! Por segunda vez he atravesado el océano decidido a matarla, y ahora resulta que ha regresado a Cádiz! ¿Qué mal te he hecho? ¿A qué viene esta burla del destino?

Sus hombres le observaban incómodos y preocupados por el hecho de que quien los comandaba se mostrara tan vulnerable a la hora de encarar un inesperado problema, y alguien que se mantenía en la penumbra rezongó malhumorado:

—¡Hermoso viaje para nada...! ¿Qué hacemos ahora?

—¡Largarnos! —se apresuró a replicar el gigantón maloliente—. Si lo que ha dicho este renco de mierda es cierto y hay peste, cuanto antes reembarquemos mejor. ¿O no?

La pregunta, que iba dirigida al Capitán de Luna, permaneció flotando en el aire, sin obtener respuesta, dado que su destinatario permanecía como petrificado e incapaz de asumir la realidad del catastrófico final de su aventura.

Al odio y el rencor se unían ahora la furia, la impotencia y la frustración más honda que pudiera experimentar un ser humano, pues hacía años que acariciaba aquella venganza, y ahora, cuando creía tenerla al alcance de la mano, se le diluía entre los dedos.

—Si mientes te despellejo —fue todo lo que acertó a decir sin atreverse a mirar al atemorizado Bonifacio Cabrera—. Nadie habrá tenido nunca una muerte más horrenda que la que te reservo.

—¡Vaya a la ciudad, señor...! —gimoteó el muchacho sorbiéndose los mocos—. ¡Vaya y vea a los enfermos vagando como sombras por las calles! Ni siquiera necesitará aproximarse para comprender que allí no quedan más que los desahuciados y la muerte. —Abrió las manos en mudo ademán de impotencia—. Si no es así, haced de mí lo que queráis.

—Pronto amanecerá —replicó desabridamente el vizconde—. Y si no veo lo que dices, serás tú quien no vea el sol a mitad de camino...

—¿Me llevaréis con vos?

—¡Vete al infierno!

Quedó en silencio; rendido, asustado y vencido de antemano por el convencimiento de que la antaño bulliciosa «Isabela» no era ya más que un maloliente cadáver de ciudad maldita de los dioses, y ninguno de sus esbirros osó pronunciar una sola palabra hasta que la primera claridad del alba se insinuó en el horizonte invitando a comprobar la verdad de lo dicho.

Nadie, ni siquiera el vizconde, reunió el valor suficiente como para llegar a menos de tiro de piedra de las primeras casas.

Y es que no era necesario aproximarse demasiado para comprender que un lugar que antaño bullía de actividad y agitación había quedado en poder de perros vagabundos, cerdos husmeantes y negras aves carroñeras que se disputaban los despojos de lo que tal vez fueron seres humanos, mientras que de éstos no se vislumbraba apenas rastro alguno, ya que si bien tres o cuatro figuras harapientas emergieron al poco de entre las ruinas, fue para desaparecer como tragadas por negras bocas de puertas que ya nada guardaban.

—¡Es cierto! —exclamó el gigante oculto entre la espesura—. Se fueron.

—¡Mira el palacio del Virrey! —apuntó el extremeño que había estado en la isla anteriormente—. Se cae a pedazos.

—Se han llevado hasta las contraventanas.

—La peste acaba con todo.

—¡Calla! Dicen que acude cuando se la menciona.

—¡Yo me largo! —señaló un tercero poniéndose en pie—. Vine a luchar con «indios» o cristianos, no con la muerte. Esa pelea está perdida de antemano.

—¿Qué hacemos, señor?

El Capitán León de Luna lanzó una última ojeada al maltrecho esqueleto de lo que había sido primera ciudad europea del Nuevo Mundo, pareció llegar a la conclusión de que allí no encontraría lo que venía buscando, y concluyó por inclinar la altiva cabeza.

—¡Vámonos! —fue todo lo que dijo.

—¿Y el renco?

—Que espere otro barco... Ha dicho la verdad y de no ser por él nos habríamos metido de cabeza en una trampa, pero puede que aún tenga la peste.

Se alejaron por entre el espeso palmeral que bordeaba la bahía para perderse de vista en la próxima colina rumbo a la ensenada en la que les aguardaba su navío, observados de lejos por el cojo Bonifacio que, sentado a la puerta de la mayor de las cabañas de la granja, parecía preguntarse de dónde había sacado el valor suficiente como para inventar tan disparatada sarta de infundios.

Cierto era que «Isabela» había sido abandonada meses antes, y que sus moradores habían cargado hasta con el último mueble y la última contraventana; cierto que la ciudad había quedado como pasto de perros y gorrinos mientras tan sólo un par de docenas de enfermos incapaces de emprender una nueva aventura habían decidido quedarse a terminar sin sobresaltos sus ya contados días, pero no era cierto que fuera la peste la que despoblara de aquel modo la ciudad sino la fiebre del oro, ni cierto que todos hubieran regresado a España, sino que habían corrido a establecerse en la nueva capital, Santo Domingo, fundada a seis leguas de las fabulosas minas de Miguel Díaz. Y lo más falso de todo era que hubiese estado muy enfermo, ya que tan sólo permanecía a la espera de recoger la naciente cosecha para embarcarla en el primer barco que recalara en la bahía y poner rumbo al río Ozama.

—¡Le eché valor...! —musitó chasqueando la lengua—. Y el ama, e incluso el Capitán Ojeda se sentirán orgullosos de mí.

Había cambiado mucho el cojo Bonifacio desde que abandonara la isla de La Gomera y es que los años en el Nuevo Mundo habían convertido al tímido «destripaterrones» isleño en un muchacho altivo y satisfecho que había sabido luchar muy duro junto a una mujer a la que quería como a una madre, y que había sabido darle a su vez todo el cariño que estaba necesitando.

Hombro con hombro sacaron adelante la granja; hermanados encararon todos los peligros, y divertidos disfrutaron de los felices momentos que también los hubo, aunque no demasiados.

Conformaban por tanto un equipo muy unido, y al ver al Capitán de Luna y comprender que si admitía que *Doña Mariana* se encontraba en Santo Domingo su vida correría un peligro innegable, se las ingenió inventando toda aquella ristra de embustes, decidido a dejarse despellejar antes que delatar el paradero de su señora y aliada.

—Ése no para hasta Cádiz —murmuró por último al tiempo que se ponía en pie dispuesto a reanudar la recogida de unas peras que convertiría luego en compota—. Y para cuando averigüe que no hubo tal peste y decida regresar, al Capitán Ojeda se le habrá ocurrido la forma de detenerle. —Agitó pesimista la cabeza—. Me temo que al final el pequeñajo tendrá que abrirle las tripas a estocadas porque ese puñetero aragonés es más pesado que las moscas...

Veinte días más tarde una hedionda carraca ibicenca atestada de esclavos fondeó frente a los semiderruidos tinglados del embarcadero, y cuando su desconcertado capitán comenzaba a preguntarse qué diantres había ocurrido con el punto de destino de su carga humana y dónde se encontraba el Licenciado Cejudo, el gomero acudió en una pequeña canoa, le puso al corriente de los cambios habidos y le ofreció un quinto de su carga a cambio de transportarle a la recién nacida Santo Domingo.

Llegaron rápidamente a un acuerdo, atravesaron con mar calma y viento suave el Canal de La Mona que separa «La Española» de Puerto Rico, cruzaron frente a las más fabulosas playas plagadas de tiburones que el renco hubiese visto nunca, y por fin lanzaron el ancla en la desembocadura de un caudaloso y oscuro río a cuyas márgenes un millar de hombres se afanaban alzando casas de piedra, levantando fortificaciones y trazando las líneas maestras de lo que sería, definitivamente, la primera capital del Nuevo Mundo.

Dos semanas después, un pálido, furioso y desesperado Capitán León de Luna desembarcaba en el puerto de Cádiz para descubrir, anonadado, que una pequeña flota se disponía a zarpar con destino a la recién fundada y floreciente ciudad de Santo Domingo, situada al sur de la isla de la que acababa de llegar y a no más de doscientas leguas de donde había fondeado su propia nave.

Una vez más, le habían burlado.

—¡«Yaaaaa-cabo...»! ¡«Yaaaaa-cabo...»!

El curioso graznido era como una llave que abriera todas las puertas o la voz mágica que aplacara la ira y la agresividad de los más fieros guerreros, aunque no tenía, por desgracia, la virtud de calmar de igual modo la curiosidad de los chiquillos, que en cuanto distinguían a la extraña pareja de «garzas» que peregrinaban en busca del «Gran Blanco» se arremolinaban en torno a ellas o las seguían durante horas hasta las lindes del territorio de su tribu.

Al gomero se lo llevaban los demonios al advertir que no podía ni acuclillarse a satisfacer sus más íntimas necesidades sin soportar la atenta mirada de una docena de mocosos, y por lo único que agradeció tener que lucir tan estrafalaria vestimenta fue por el hecho de que la amplia capa de plumas cubría a medias sus vergüenzas en tan delicado momento.

Sabía que no podía reñirles ni espantarles puesto que según la ley no escrita de los aborígenes les estaba prohibido dirigirse a ser viviente alguno, ya que de hecho eran como sombras de inmensas aves incapaces de volar, y a menudo, cuando el hambre les acuciaba, se veían en la obligación de permanecer durante horas en las afueras de un poblado aguardando pacientes a que un alma caritativa se dignase ofrecerles algún tipo de alimento.

—¡Odio este viaje! —mascullaba furibundo *Cienfuegos* durante las escasas ocasiones en que se encontraban completamente a solas—. ¡Lo odio a muerte!

—Te advertí que no te gustaría... —le hacía notar la negra—. Pero no quisiste hacerme caso.

—Pero es que a nadie se le ocurre que se tratara de una majadería semejante... —se lamentaba el pelirrojo tristemente—. ¡Me siento tan ridículo! ¡Y se me caen las plumas! Con tanta rama y tanta zarza, cuando lleguemos más pareceré pollo de cazuela que honrado peregrino. ¿Crees que falta mucho?

—No tengo ni idea.

Nadie parecía tener tampoco la más mínima idea de a qué distancia podría encontrarse el ansiado hechicero, ya que al no poder intercambiar palabra alguna con los nativos, y limitarse su vocabulario a aquel gutural graznido de pajarraco histérico, la información no pasaba de un simple ademán del brazo que indicaba el camino que debían seguir en su lenta progresión al interior de tierra firme.

Al sexto día de marcha se habían internado ya en las primeras estribaciones de una larga cadena de montañas dejando a sus espaldas el país de los «pemeno», y al atravesar un frágil puente colgante hecho a base de cañas y lianas que se balanceaba sobre un violento riachuelo de aguas furiosas, una extraña e inquietante sinfonía les llevó a la conclusión de que estaban penetrando en el prohibido territorio de los feroces «motilones».

Y es que la macabra cantinela venía dada por una veintena de mondos cráneos humanos, que colgando de largas lianas a la salida del puentecillo, entrechocaban entre sí como advirtiendo a los intrusos de que no era aquélla una tierra que acogiera con entusiasmo a inoportunos visitantes.

—No te inquietes —musitó la negra al advertir la mirada de desconfianza que *Cienfuegos* le dedicaba a los tristes despojos—. Ya sabes que con estos ropajes somos intocables.

—Lo sé —admitió de mala gana el canario—. Ahora lo que falta es averiguar si ellos lo saben. Apuesto a que alguno de éstos también llegó aquí disfrazado de gallina.

La hostilidad de los «motilones» no se mostró, sin embargo, en forma activa, sino en una especie de silenciosa, invisible y fría amenaza que parecía irles acompañando a todo lo largo del agreste sendero.

No distinguieron durante el fatigoso viaje ni a un solo miembro de una primitivísima comunidad encerrada en sí misma, que aún continuaría aterrorizando al mundo cuatro siglos más tarde, pero cada paso que daban o cada noche que pasaban en blanco, era un paso hacia la nada o una noche de angustia, puesto que el vacío que los «motilones» eran capaces de crear en torno a los extraños resultaba más agobiante aún que su propia presencia.

Hedía a muerte.

El espeso bosque y la intrincada serranía, o al menos el abrupto sendero por el que los osados peregrinos debían irse abriendo camino a duras penas en busca del «Gran Blanco», no ofrecía en apariencia más peligro que precipicios impresionantes y aisladas serpientes venenosas, pero la carroña de animales —o tal vez seres humanos— en perpetua descomposición se encontraba tan perfectamente distribuida y oculta a todo lo largo de la ruta, que el cerebro del sufrido caminante acababa por obsesionarse con la idea de que en cualquier momento él mismo pasaría a formar parte de aquella pestilencia abominable.

Al canario le asombró la astucia de aquel pueblo de sombras que sin necesidad de hacer alardes de fuerza, ni asustar con gritos y amenazas, grababa a fuego en el ánimo de sus posibles enemigos el firme convencimiento de que se encontraba por completo a su merced.

—Jamás se me habría ocurrido pensar en el olor como arma disuasoria —sentenció una noche incapaz de pegar ojo a causa de una pestilencia que parecía envolverles como un espeso manto pegajoso—. Pero no cabe duda de que estos hijos de puta han descubierto una nueva forma de espantar al más valiente, porque si cierto es que hay tipos a los que la muerte no asusta, a todos asusta saber que después de esa muerte nos convertiremos en piltrafas malolientes.

Recordó entonces el temor que sentía el viejo *Virutas*, ante el hecho de acabar sus días en el cebado vientre de un grupo de caníbales, y se preguntó en voz alta si sería preferible convertirse en pasto de gusanos o de hombres.

—En mi tierra —sentenció la africana—, los cadáveres de los jefes más valientes se incineran y sus cenizas se arrojan al lago para que nadie pueda mancillar jamás sus cuerpos...

—¿Te gustaría terminar así?

—En absoluto. —*Azabache* chasqueó la lengua y colocó suavemente la mano sobre el abultado vientre como si buscara un contacto aún más directo con su hijo—. ¿Qué quedaría de nosotros cuando las cenizas se disolvieran en el agua?

—El recuerdo.

—¿Y acaso es eso bueno? —inquirió ella con desgana—. El recuerdo de aquellos que queremos y ya se han ido, suele hacer mucho más daño que beneficio. —Alzó el rostro y sonrió apenas—. Se está moviendo... —susurró.

Tomó la mano de su amigo y la colocó en el punto en que, efectivamente, se percibía a través de la negra y tersa piel una ligerísima contracción.

—¿Lo notas?

Cienfuegos asintió en silencio.

Ella alzó sus inmensos ojos que semejaban ahora carbones encendidos e inquirió con timidez:

—¿Crees que será blanco?

—Será tu hijo y eso basta.

—¿Pero qué destino le espera a un niño negro en estas tierras, si ya para nosotros la vida resulta tan difícil?

—¿Qué importa eso? —El gomero aspiró profundamente como si pretendiera obligarle a reparar una vez más en el repugnante hedor a carne putrefacta—. Estamos en el corazón de una sucia selva remota, rodeados de invisibles salvajes, apestando a carroña, ridículos y hambrientos... Pero estamos vivos. ¡Y sanos! Y tú amas a un «indio» bizco y yo a una alemana rubia. Seguro que en estos momentos algún príncipe enfermo o que jamás amó a nadie, se cambiaría por nosotros.

La dahomeyana le dirigió una larga mirada de soslayo en la que se leía claramente todo su escepticismo:

—¿De verdad? —quiso saber—. ¿Crees que por muy moribundo que estuviera existiría algún príncipe que se cambiara por nosotros?

—¡Si está ya desahuciado...! —bromeó el canario.

Sería necesario en verdad encontrarse a las puertas mismas de la muerte para soñar siquiera con cambiarse por aquella pareja que intentaba inútilmente conciliar un corto sueño, conscientes de que el ya cercano amanecer les brindaría una nueva jornada de hambre, miedo y fatigas; un largo día de abrirse paso a trompicones por entre la espesa maraña de una húmeda jungla de montaña que a no ser por el serpenteante sendero que bordeaba los abismos se diría que no había abrigado jamás presencia humana alguna.

Por fin, al atardecer del octavo día, hastiados ya de no llevarse a la boca más que duros, desabridos y correosos papagayos que parecían constituir toda la fauna de aquel bosque, coronaron la cima de un repecho, y se lo toparon de frente, reconociéndole en el acto sin necesidad de que nadie les dijese quién era.

¡«El Gran Blanco»!

Era mucho más impresionante aún de lo que hubieran imaginado nunca; más alto, más esbelto, más pálido bajo la suave luz horizontal de un sol que se perdía ya camino del ocaso, y que confería a la gruesa capa de nieve que cubría sus laderas un color rosáceo que destacaba aún más las negras agujas basálticas que de tanto en tanto emergían aquí y allá como dedos de ébano.

Lo contemplaron en silencio, estupefactos, e incapaces de admitir la evidencia de que aquel a quien con tanto ahínco buscaban no era en realidad más que una agreste montaña barrida por los vientos.

—¡Dios! —musitó al fin el incrédulo *Cienfuegos*.

Azabache nada dijo puesto que podría creerse que el mundo se había abierto de improviso bajo sus negros pies, y era tanta su desilusión y desconcierto, que tuvo que buscar apoyo en el antebrazo de su amigo para evitar rodar ladera abajo.

Un suave lamento, inaudible apenas, pero tan hondo que parecía nacido del corazón mismo de la criatura que guardaba en el vientre, afloró hasta sus labios erizando los rojizos vellos de *Cienfuegos*, que no pudo evitar sentir en aquellos momentos más pena por ella de la que experimentara nunca por sí mismo.

—¿Para esto hemos venido? —mascullo indignado—. No es más que una montaña.

—Pero es blanca... —replicó la africana con un hilo de esperanza en la voz—. Tal vez sea esa blancura la que obre milagros.

—Tan sólo es nieve.

—¿Nieve? —repitió ella desconcertada—. ¿Qué es eso?

—No estoy muy seguro —admitió el cabrero—. A veces la veía desde lejos, en la isla vecina. Allí se alza un volcán inmenso, el Teide, que en invierno se cubre de un blanco semejante. Dicen que es agua muy fría.

Azabache le observó de reojo.

—¿Agua muy fría? —repitió nuevamente—. ¿Cómo puede ser agua muy fría? El agua cae, ¡se escurre!, y eso está ahí, pegado a la montaña. Debe ser cosa de los dioses.

Cienfuegos se acuclilló al estilo de los aborígenes, en una posición a la que se había acostumbrado de tanto tratar con ellos, y tras observar largamente hasta el último recoveco de la alta cumbre nevada agitó una y otra vez la cabeza pesimista.

—Dudo que sea cosa de los dioses —señaló—. De niño me contaron que los salvajes «guanches» de Tenerife adoran al Teide, pero que no lo hacen por su nieve, sino por el fuego que escupe al enfurecerse. Cuando rugía con fuerza, hasta el suelo de La Gomera se estremecía y algunas noches era como si todo el cielo se incendiase.

—¿Crees que «El Gran Blanco» también lanza fuego?

El otro se encogió de hombros admitiendo sinceramente su ignorancia.

—¿Quién sabe? —Guardó silencio largo rato observando cómo el sol desaparecía más allá de la cadena de altos cerros que se extendían a su derecha, y cuando ya nada quedaba de él en el horizonte inquirió con desgana—: ¿Qué hacemos ahora?

—Descansar... —masculló la muchacha que se había dejado caer a su lado con gesto de suprema fatiga—. Mañana seguiremos.

—¿Para qué? Está claro que no es más que una montaña.

—Si los «cuprigueri», los «pemeno», los «motilones», los «timote» y los «chiriguana» creen que tiene poderes mágicos, quizás es que los tiene.

—No son más que «indios» supersticiosos que se dejan impresionar por lo que no comprenden.

La dahomeyana, que había recostado la cabeza contra el tronco de un árbol y contemplaba con extraña fijeza los negros farallones que destacaban sobre un blanco impoluto, sonrió muy levemente y sin mover apenas un músculo, replicó:

—Si he sido tan estúpida como para llegar hasta aquí, no voy a ser ahora tan tonta como para volverme. ¿No sientes curiosidad por saber cómo es la nieve?

Cienfuegos lanzó una ojeada a los profundos precipicios, las altas paredes de roca y los desolados páramos que aún les separaban de las laderas de la majestuosa montaña, y emitió un sonoro resoplido de disgusto.

—Siento curiosidad —admitió—. Pero no creo que en tu estado sea buena idea seguir adelante. —Hizo una larga pausa y añadió roncamente—: No me gusta «El Gran Blanco». No me gusta, y presiento que nosotros tampoco le gustamos. ¡Volvamos, por favor!

Había tal tono de súplica o de temor en sus palabras, que la negra giró apenas la cabeza y le observó como si descubriera de improviso una nueva y desconocida faceta de su carácter.

—¿Tienes miedo? —inquirió al fin.

—Tengo un presentimiento —admitió de mala gana *Cienfuegos*—. Un mal presentimiento.

Ella extendió la mano y le acarició la barba con un gesto muy suyo, afectuoso y tierno.

—No te inquietes —musitó—. Mi hijo y yo estamos aquí para cuidarte. No permitiremos que esa enorme montaña te haga daño. —Le apretó con fuerza la punta de la nariz—. ¿Confías en mí? —quiso saber.

El canario hubiera deseado replicar que no sentía miedo por él, sino por ella y por su hijo, pero guardó silencio.

Y ese silencio pasó a transformarse en un largo sopor o una inquieta duermevela en la que el hambre, la fatiga y un invencible desánimo que invitaba a olvidar la realidad, le acompañó toda la noche como insistente mosquito empeñado en no permitirle descansar plenamente.

El amanecer le sorprendió por tanto observando el negro rostro que comenzaba a tomar forma saliendo de las sombras. Madrugador nato, acostumbrado desde niño a estar en pie antes de que las primeras cabras comenzaran a removerse en el aprisco, pocas cosas agradecía tanto como aquel corto espacio de tiempo que mediaba entre la oscuridad y el alba, y solía permanecer muy quieto mientras las tinieblas se transformaban en masas informes, y más tarde en objetos o personas, asombrándose siempre de que el mundo pudiera pasar de ese modo de la nada al todo en cuestión de minutos.

Y allí, en aquellas tierras nuevas que ya tanto conocía, aún le asombraba la rapidez con que eso sucedía, sin apenas variaciones entre invierno y verano, y su mente analítica y su talante netamente observador, le obligaban a preguntarse por qué razón cuanto más avanzaba hacia el sur, más cortos acostumbraban a ser los ocasos y los amaneceres.

Echaba de menos entonces a Juan de la Cosa o Luis de Torres, que solían tener casi siempre explicación lógica a todo, y se preguntaba con tristeza si alguna vez volvería a encontrarlos, y volvería a tener ocasión de aprender tantas cosas como aprendiera a su lado.

Qué era en verdad la nieve, por ejemplo. O qué posibilidades había de que aquella criatura que empezaba a moverse en el vientre de *Azabache* fuera blanca. O quién le había elegido como eterno superviviente pese a que un millón de desgracias se abatieran de continuo sobre su cabeza aniquilando a cuantos le rodeaban.

La negra —o su hijo— lanzaron un leve lamento estremeciéndose.

La observó con ternura. Era como la hermana que nunca había tenido; como su madre, su hija, su protectora y su protegida; su consejera y su aconsejada; el único vínculo que le unía al mundo al que tanto tiempo atrás había pertenecido, y la última razón —junto al recuerdo de Ingrid— que le impulsaba a continuar viviendo entre los vivos.

Y temía por ella.

Era un ser cuya fragilidad parecía ir aumentando día tras día, como si la criatura que crecía en su vientre le fuese arrebatando las fuerzas, o la desesperación que crecía de igual modo en su pecho la agotasen mientras la larga caminata y las penalidades acababan por derrotar su antaño vivaz y alegre espíritu.

Había dejado de ser ya la muchachita despreocupada y divertida a la que todo parecía tenerle sin cuidado, y se podría creer que el simple hecho de ser madre la había transformado, desvirtuando no sólo las formas de su cuerpo, sino también —y más aún— las de su alma.

Luego, cuando un rojo sol que aún no calentaba pero arrojaba ya toda su luz sobre el paisaje hizo su aparición coqueteando tras las ramas de un amarillento «araguaney», el gomero estudió atentamente el profundo barranco que les separaba de los páramos que rodeaban al «Gran Blanco», y se preguntó, inquieto, cómo se las arreglaría para llevar hasta la otra orilla a la muchacha.

Para él, criado en las montañas, descender por el abismo con la única ayuda de una larga garrocha y trepar de nuevo como una cabra hasta la cima hubiera constituido casi un juego de niños, pero no se imaginaba a una negra embarazada dejándose deslizar, de roca en roca a lo largo de una pértiga, ni aferrándose como un mono asustado a las aristas de piedra.

—¡Mierda! —masculló al fin.

Descubrió entonces que dos inmensos ojos enfebrecidos le observaban y trató de sonreír animosamente.

—¿Cómo te encuentras? —quiso saber.

—Como negra preñada y muerta de hambre que ha

pasado la noche al relente en la cima de un cerro —fue la humorística respuesta—. ¿Nos vamos?

Cienfuegos asintió al tiempo que se ponía en pie y lanzaba al abismo los desgarrados jirones de lo poco que quedaba de su capa de blancas plumas.

—Supongo que ya no lo necesitamos —dijo—. Y lo único para lo que sirve es para hacer que tropecemos.

Buscó luego una gruesa rama que le sirviera de garrocha, acalló de un palmetazo los gruñidos de sus vacías tripas, y se dispuso a iniciar un descenso que presentía endemoniado.

Fue aún peor de lo que había imaginado en un principio, puesto que si alguna vez existió un sendero que condujese a los peregrinos hasta la montaña, el tiempo, el viento y la lluvia se habían preocupado de borrarlo, por lo que tuvo que emplear toda su habilidad de cabrero y toda su fuerza de hércules en conseguir que la africana descendiese metro a metro sin acabar en el turbio riachuelo que serpenteaba por el fondo de la garganta.

En un momento determinado, al alzar el rostro, distinguió allá arriba, en el punto exacto en que habían pasado la noche, a un pequeño grupo de nativos armados, y pese a la distancia, llegó a la conclusión de que se trataba de gente primitiva y salvaje, de gesto hosco y piel grisácea, y durante todo el rato que se supo observado por ellos, abrigó la absoluta seguridad de que permanecían a la espera de disfrutar del espectáculo de verlos precipitarse al vacío.

Aquéllos eran sin duda los feroces «motilones» que habían preferido mantenerse ocultos durante el tiempo que los «peregrinos» habían tardado en atravesar su territorio, pero que ahora no dudaban en hacer acto de presencia, como si con ello quisieran demostrar su auténtico poder.

Les hubiera bastado con lanzar unas cuantas flechas, o hacer rodar una piedra para acabar con los intrusos, pero se limitaron a permanecer tan inmóviles como los propios árboles sobre los que se encaramaban, atentos tan sólo a disfrutar del posible placer de ver cómo se rompían la crisma contra las rocas.

No le comentó su descubrimiento a la negra, consciente de que saberse observada era cuanto necesitaba para perder los nervios y dejarse atrapar por el imán del vértigo, y tan sólo se limitó a lanzar un suspiro de alivio cuando un saliente de roca los ocultó a la vista.

A media tarde alcanzaron por fin las márgenes de la oscura torrentera, para descubrir, maravillados, que en un terraplén de arcilla que nacía casi al borde mismo del agua anidaban millones de pequeños avechuchos.

Entraron a saco en ellos pese a los graznidos de protesta de sus furiosos propietarios, por lo que muy pronto se pusieron a reventar de pequeños huevos semejantes a los de las codornices, pese a que algunos despedían un leve olor a pescado.

Al día siguiente, y mientras bordeaban el riachuelo buscando un punto por el que reiniciar la ascensión, desembocaron de improviso en una especie de inmensa hoya en la que las aguas se remansaban antes de caer formando una espumosa cola de caballo, y era tal la cantidad de peces que allí parecían haberse dado cita, que casi bastaba con alargar la mano para apoderarse de uno de ellos.

Era aquélla, sin duda, la razón por la que proliferaban de tal modo los pajarracos de afilado pico, que por lo visto habían encontrado en la paradisíaca laguna despensa inagotable donde llenarse el buche, muy cerca de un cómodo hogar en el que apenas necesitaban cavar unos centímetros para proporcionarle cálido nido a sus crías.

El canario decidió que, imitando a las aves, aquél constituía sin duda un magnífico lugar en el que recuperar fuerzas, y lo mismo debían haber pensado otros muchos peregrinos, puesto que aquí y allá se distinguían en la orilla restos de viejas hogueras e incluso de una tosca choza tiempo atrás derruida.

—Podríamos esperar aquí la llegada del niño —aventuró tras darse un prolongado y reconfortante baño en las quietas aguas de la poza—. Tenemos peces, huevos, carne y probablemente frutos silvestres corriente abajo. ¿Qué más podemos necesitar?

Ella se limitó a alzar la vista hacia la cima del acantilado que se recortaba contra un cielo de un gris plomizo amenazante y musitar:

—Primero tenemos que subir y pedirle al «Gran Blanco» que haga algo por mi hijo.

—¿Y crees que una simple montaña va a escucharte? —se lamentó *Cienfuegos*—. ¡Vamos! Deja ya de soñar. ¿No se te ha ocurrido pensar que toda esta historia tal vez sea un invento de unas mujeres que lo único que querían era alejarte del poblado?

—Lo he pensado —replicó ella de mala gana—. Desde anoche no pienso en otra cosa, pero me niego a creer que Yakaré lo aceptara.

—Yakaré nada sabía de tu viaje.

—Es cierto —admitió—. Yakaré nada sabía de mi viaje. —Jugueteó con un diminuto escarabajo que correteaba junto a su mano y por último, sin alzar el rostro, añadió—: Aunque quizá de haberlo sabido tampoco lo hubiera impedido. —Negó con la cabeza como si estuviera tratando de convencerse de algo a sí misma—. Me esfuerzo por creer lo contrario, pero a menudo me asalta la sensación de que si en un principio le gusté por ser diferente al resto de las mujeres, más tarde dejé de gustarle por lo mismo. Es duro ser negra en tierra de blancos —concluyó con amargura—. Muy, muy duro.

—Imagino que el problema no estriba tanto en el color como en el hecho de ser distinto —puntualizó el gomero—. «Indios» y españoles tienen una piel semejante y sin embargo se aborrecen. —Lanzó un escupitajo al agua—. Y no lo entiendo —masculló—. ¡Por Dios que no lo entiendo! Para mí son todos iguales.

Lo eran, en efecto, y aquélla constituiría siempre una característica esencial que distinguiría a *Cienfuegos* de la mayoría de los seres humanos, ya que ni en su corazón ni en su cabeza anidó jamás el más leve tinte racista, quizá porque él mismo había nacido de una mezcla de sangres aragonesa y guanche, «mestizo» en una época en la que aún tal palabra carecía de tan terribles significados negativos, puesto que tuvo que ser su propio hijo, años más tarde, quien en primer lugar tomase plena conciencia de lo cruel que podía llegar a ser semejante apelativo.

Cualquier otro hombre menos abierto a todas las ideas de lo que llegaba a serlo el pelirrojo cabrero, raramente hubiera conseguido adaptarse con la naturalidad con que él se adaptó, a las mil circunstancias adversas que le tocó vivir, ni nadie sin la sincera comprensión de que él tan a menudo hacía gala, hubiera sabido relacionarse con tantos individuos diferentes como los que llegó a tratar durante sus múltiples andanzas.

Su innegable éxito como superviviente y como ser humano excepcional, se basó en el hecho de que siempre fue como una esponja que sabía absorber cualquier enseñanza viniera de donde quiera que viniese, ya que sabía ver, escuchar y asimilar, y su cerebro parecía estar compuesto de una mezcla tal de primitivismo y agudeza, que nada había sobre la faz de la tierra que no consiguiera captar al primer golpe de vista.

Un niño y un viejo compartían su macizo cuerpo de hombre, y su mente mantenía de continuo un delicado equilibrio entre la más auténtica simplicidad y la más retorcida picardía.

Gracias a ello, aún seguía con vida, y pese a todos los avatares que el destino se había complacido en depararle, aún conservaba intacto su muy particular sentido del humor, y sus inagotables deseos de confiar en que algún día sus pasos acabarían encaminándose al fin hacia aquella prodigiosa y deseada ciudad de Sevilla en la que una mujer a la que hacía ya seis años que había visto por última vez, continuaría esperándole.

Apenas una semana consiguió retener a la impaciente *Azabache* antes de que amenazara con emprender a solas la ascensión si no se decidía a acompañarla.

—Subamos —suplicaba—. Pidámosle al «Gran Blanco» que mi hijo no herede este color de piel, y si quieres regresaremos luego aquí a esperar a que nazca. Es un lugar tan bueno como cualquier otro para dar a luz.

Siete veces pareció a punto de precipitarse al abismo, y otras tantas estuvo atento el gomero a sostenerla, y fueron aquellos dos interminables días de trepar por una lisa pared de roca, los más agotadores que madre alguna tuviera que padecer por el futuro de su hijo.

La noche la pasaron sobre una cornisa de no más de un metro de ancho, y *Cienfuegos* se vio en la necesidad de mantenerse en vela, ya que la agotada *Azabache* cayó rendida en cuanto cerró los ojos, pero la inquietud de su sueño obligaba a temer que en cualquier momento podía dar media vuelta y hundirse para siempre en las tinieblas.

El cabrero la aferraba fuertemente por un brazo, procurando no despertarla pero sin aflojar tampoco la presión lo suficiente como para que pudiera escurrírsele, y fue esa tensión y ese miedo a perderla lo que le agotó más aún que la ascensión en sí, hasta el punto de que cuando a la tarde siguiente coronaron la cima y pisó al fin terreno llano, se derrumbó de improviso como si un rayo le hubiera fulminado para siempre.

Despertó sin embargo totalmente descansado y fresco y no le sorprendió descubrir que la negra parecía no haberse movido de su lado, por lo que le dedicó una ancha sonrisa de agradecimiento.

—¿Todo bien? —quiso saber.

Ella asintió al tiempo que alzaba el rostro.

—Todo bien, excepto por esos inmensos pajarracos que no paran de dar vueltas. ¡Me asustan!

El gomero siguió la dirección de su mirada y distinguió en efecto a una pareja de gigantescos cóndores de más de dos metros de envergadura que giraban pacientes muy por encima de la cumbre de la altísima montaña.

—Son gorriones —musitó quedamente.

—¿Gorriones? —se asombró ella—. ¿De ese tamaño?

—Aquí a los lagartos les llaman «caimanes» y se comen a la gente —replicó él al tiempo que comenzaba a erguirse—. No me extrañaría por tanto que esos «gorriones» sean capaces de robar una cabra. Mejor nos vamos, porque si nos cagan encima nos desnucan.

Reanudaron la marcha y a las tres horas de camino se abrió ante ellos un páramo húmedo y triste salpicado de diminutas lagunas y extraños matojos que semejaban cabezas de indio emplumado, al tiempo que espesas nubes cubrían el cielo, con lo que comenzó a gemir sobre la grisácea llanura un viento helado que obligaba a tiritar a una dahomeyana y un canario que jamás habían sufrido tan bajas temperaturas.

Los pies, descalzos, parecían arder cuando pisaban un charco oculto por una hierba resbaladiza y rala, las orejas amenazaban con caérsele a trozos, y *Cienfuegos* lanzó un sonoro reniego al descubrir que aquél era un nuevo enemigo al que jamás había aprendido a combatir en parte alguna.

—¡Manda cojones! —masculló malhumorado cuando se detuvo a orinar—. Hace unos días nos achicharrábamos y ahora casi se me ha perdido el pito con este frío. ¿Cómo hará el amor aquí la gente?

—¿Hacer el amor? —inquirió *Azabache* sorprendida—. Aquí se viene a rezar, no a hacer el amor. ¿Es que no puedes pensar en otra cosa?

—Ahora sí —admitió el cabrero dando diente con diente—. Te juro que ahora en lo único que pienso es en tumbarme al sol aunque fuera en pleno desierto. Aquel infierno era mil veces mejor que este frío.

Como si sus palabras hubieran sido escuchadas por alguien que parecía entretenerse en fastidiarle a todas horas, las nubes se alejaron hacia el este, el viento se calmó con su marcha, y un sol que, no lejos de la línea del ecuador, en pleno mediodía y casi a cuatro mil metros de altura, parecía haberse convertido en plomo derretido, les taladró el cerebro dejándoles de inmediato sin fuerza y sin aliento.

El brusco cambio de temperatura, podía rondar muy bien los cuarenta grados, y constituía aquél un choque tan violento, que hasta las negras rocas lo acusaban de tal forma que en los días sucesivos no les sorprendió escuchar de tanto en tanto el estallido de alguna de ellas que se quebraba en pedazos.

Lagartos verdinegros de diabólica apariencia nacían entonces de ocultas oquedades y semejaban viejas estatuas de bronce patinoso que estuviesen robándole la vida a los furiosos rayos de aquel sol inclemente.

Pero cuando una aislada nube se interponía sólo un instante entre la fuente de calor y el alto páramo, nuevamente la temperatura caía cuarenta grados, desaparecían tragados por la tierra los lagartos y los seres humanos tenían la impresión de haberse convertido en espada al rojo que un invisible herrero sacaba de la fragua e introducía de súbito en el agua.

—¡Elegba, Elegba! —sollozó de improviso la africana—. ¿Por qué haces esto?

Y es que rompía en verdad el alma contemplarla, flaca; con el vientre hinchado como un globo; sucia y cubierta de heridas y arañazos; temblando de frío o sudando a mares; con los ojos enrojecidos y los cuarteados labios cubiertos de pústulas.

—¡Volvamos! —suplicó *Cienfuegos*, derrotado más por los padecimientos de su amiga que por su propio cansancio—. ¡Volvamos, por favor!

—Ya queda poco.

—¿Poco para qué? ¡No es más que una puta montaña!

—¡No! —replicó ella con extraña firmeza—. Es mucho más que una montaña. Estoy segura.

—Una montaña no es más que una montaña aquí o en La Gomera —protestó el isleño—. Y no creo que valga la pena perder la vida por verla más de cerca.

Se rascó la frente con gesto mecánico, y al tirar de un pequeño pellejo que se le había levantado, gran parte de la piel del rostro se le quedó en las manos como si se tratara de una máscara que hubiese llevado superpuesta.

—¡Dios bendito! —se alarmó—. ¡Qué coño es esto!

La dahomeyana sonrió apenas.

—Desventajas de ser blanco —señaló—. El sol y el viento te han abrasado por completo. —Se rascó la cara repetidas veces y le mostró las uñas—. A mí eso nunca va a ocurrirme.

—¡Si te digo yo que aquí todo es posible...! —masculló *Cienfuegos* malhumorado—. Me estoy quedando sin pito y sin pellejo. Apuesto a que mañana amanezco calvo. ¡Qué mierda de frío!

Reanudaron la marcha y avanzaban ahora como muertos vivientes o tal vez como borrachos, tropezando y dando tumbos, y pese a que la alta cima les marcaba el rumbo en un momento dado el canario tomó conciencia de dónde se encontraba para descubrir que *Azabache* se había desviado inexplicablemente, alejándose como hipnotizada y perdida toda noción de cuanto le rodeaba, hacia poniente.

Ni siquiera sus gritos, que a aquella altura y con el aire enrarecido parecían apagarse apenas surgidos de su garganta, consiguieron obligarla a volver a la realidad, y tuvo que correr tras ella y aferrarla por un brazo para obligarla a rectificar y retomar la dirección correcta.

Dos horas más tarde se detuvieron frente a las primeras nieves.

La observaron en silencio, indecisos ante la idea de tocarla, como asustados por aquella desconocida masa blanca que se adueñaba de todo en adelante, y que constituía una especie de silenciosa amenaza o de informe monstruo dispuesto a devorarles.

Había salido una vez más el sol y el calor volvía a ser insoportable, por lo que el contraste entre el aire y la nieve era aún más acusado, y de esta última les sorprendió su tacto, su textura, y la forma en que se licuaba en cuanto colocaban unos copos sobre la palma de la mano.

—¡Es agua! —se asombró la negra.

—Te lo dije. Agua que el frío espesa.

—¡Qué extraño! —La muchacha había tomado asiento sobre una roca y observaba el uniforme paisaje que se abría ante ella, y en el que únicamente destacaban las agujas basálticas que se alzaban aquí y allá como negros caprichos—. Cuando era niña creía que el mundo se limitaba al lago y la selva, luego descubrí el mar, por último el desierto, y ahora esto... —Alzó el rostro y le miró de frente—. ¿Pueden existir más cosas?

Cienfuegos, que había tomado asiento a su vez y jugueteaba con una bola de nieve, se encogió de hombros admitiendo su absoluta ignorancia.

—No lo sé, y con frecuencia me pregunto si es bueno descubrirlo, o sería preferible haber continuado para siempre en La Gomera. —Hizo un amplio ademán como pretendiendo abarcar cuanto le rodeaba—. ¿Qué diablos pintamos tú y yo aquí? —quiso saber.

—... A mi hijo de blanco —fue la humorística respuesta de la africana que había comenzado a frotarse el vientre con un puñado de nieve—. ¿Crees que dará resultado?

Él agitó la rojiza cabellera con manifiesta duda:

—No veo que la tripa se te destiña.

—Tal vez tarde en hacer efecto.

—¡No es más que agua! —repitió con gesto despectivo—. Ya la has visto, la has tocado, y es hora de volver porque si nos sorprende aquí la noche tal vez moriremos de frío.

—Nunca supe de nadie que muriera de frío —le hizo notar ella.

—Yo tampoco —admitió *Cienfuegos*—. Pero tampoco supe de nadie que pasara la noche en un lugar como éste. ¡Regresemos!

Azabache negó convencida mientras continuaba frotandose el vientre con un puñado de nieve.

—¡Vuelve tú! Yo no me siento con fuerzas como para atravesar de nuevo esa llanura. —Indicó con un ademán de la cabeza la montaña—. Más adelante debe existir alguna cueva en la que refugiarse. De otro modo, ningún peregrino habría llegado nunca hasta aquí.

El gomero pareció llegar a la conclusión de que en realidad no se encontraban en condiciones de regresar sobre sus pasos y alcanzar los límites del páramo antes de que cayera la noche, por lo que se limitó a alzar el rostro y calcular las horas que les quedaban de luz señalando por último:

—En ese caso será mejor que continuemos, porque el camino es largo. —Apuntó con el dedo hacia los cóndores que habían hecho de nuevo su aparición trazando incansables círculos sobre sus cabezas—. Y ese par de cabrones parecen dispuestos a sacarnos los ojos en cuanto nos descuidemos.

Caminar descalzos por la nieve les produjo una indescriptible sensación de angustia, y el hecho de sentir cómo el mundo jugaba a hundirse a cada paso bajo sus pies cubriéndoles primero los tobillos y más tarde las pantorrillas para llegarles al fin hasta casi los muslos, les obligó a intercambiar una larga mirada de temor, pues ambos abrigaron muy pronto el convencimiento de que de un momento a otro acabarían por desaparecer definitivamente bajo aquella crujiente masa blanda y gélida.

—Pareces una mosca pataleando en un vaso de leche —señaló el gomero durante una de las muchas ocasiones que tuvo que acudir a ayudarla a ponerse en pie—. Y te aseguro que si de aquí no sales blanca, ya no te aclaras nunca.

Poco después, al sobrepasar el mayor de los bloques de roca, la cara norte del «Gran Blanco» se les mostró por fin en toda su belleza, y herida oblicuamente por un sol de media tarde semejaba un inmenso diamante tallado con infinito mimo para que destacara esplendoroso contra el azul del cielo.

—¡Qué hermosura! —exclamó ella fascinada.

—Muy bonito... —admitió el isleño a desgana—. Pero no me gusta: recuerda una inmensa máscara.

Así era, en efecto, puesto que dos lisas paredes imitaban los ojos, y a un lado, como dibujando una amarga mueca, se abría la entrada de una enorme caverna que hacía las veces de torcida boca de despectivo gesto.

Subieron hasta ella, no sin fatigas, y a la entrada, de más de diez metros de ancho por seis de alto, se detuvieron sin ponerse de acuerdo, como si un súbito y común presentimiento les impidiera atravesar aquel impresionante umbral de hielo y roca.

Habían llegado al auténtico destino final de todos los peregrinos de la región y lo sabían, porque como iluminados al unísono por una sutil revelación, acababan de descubrir que la montaña no era en verdad más que un simple punto de referencia, y el auténtico secreto a que hacían mención las leyendas se ocultaba en aquella gruta.

Avanzaron dificultosamente y no sin temor sobre un suelo de roca cubierto por una espesa pátina, y tras girar a la izquierda desembocaron al poco en una alta nave de las dimensiones de una iglesia pequeña.

Sus ojos tardaron en acostumbrarse a la penumbra, pero por último, y gracias a la luz exterior que se reflejaba en la pared de hielo de la entrada pudieron advertir, estupefactos, que la amplia estancia se encontraba ocupada por más de una treintena de hombres y mujeres, así como por un incontable número de multicolores colibríes y guacamayos.

Los observaron en silencio y en silencio fueron observados a su vez por docenas de ojos que tal vez llevaban ya más de cien años contemplando impasibles la entrada de la gruta.

El frío era intensísimo, pero se trataba ahora de un frío distinto, tan seco y probablemente tan constante, que debido a sus especiales características toda aquella impresionante corte de cadáveres se mantenía intacta, sin apenas escarcha que los desvirtuase, y con una apariencia tan fresca y tan lozana, que podría creerse que en algunos aún alentaba un soplo de vida la noche antes.

Era como si se hubieran quedado quietos de improviso al advertir la llegada de extraños, o como las magníficas figuras de un gran museo de cera.

Ni *Cienfuegos* ni la negra *Azabache*, tiritando y con los dientes castañeteando incesantemente, fueron capaces de pronunciar siquiera una palabra, y tan sólo consiguieron avanzar unos metros, alcanzar el centro de la sala y girar la vista alrededor para observar aquella impresionante galería de rostros tan prodigiosamente conservados.

La mayoría eran muy viejos; probablemente poderosos caciques de su tiempo, aunque podían distinguirse también cuatro o cinco mujeres que debieron ser en vida muy hermosas y media docena de fornidos guerreros cubiertos de cicatrices.

Todos aparecían sentados, semidesnudos, adornados tan sólo con guirnaldas de flores, y cargando en el hombro un colibrí o un guacamayo de vistoso plumaje, y todos formaban una especie de corro en torno a la erguida figura que ocupaba el centro de un amplio altar hecho de hielo: un anciano que lucía largos cabellos blancos y una espesa barba rubia que destacaba sobre la gruesa túnica de color indefinido que le cubría por completo.

Cienfuegos se aproximó hasta casi tocarle, pero una especie de temor supersticioso y un frío que amenazaba con paralizarle le obligaron a volver sobre sus pasos, y aferrando como pudo a la renuente *Azabache*, la arrastró al exterior para permitir que un sol que comenzaba a declinar les volviese a la vida.

Sin intercambiar siquiera una palabra regresaron tan aprisa como pudieron sobre sus propios pasos, abandonaron con un suspiro de alivio la zona cubierta de nieve, y descubrieron con la llegada del crepúsculo, que a media legua hacia el sur tres diminutas cuevas parecían haber sido utilizadas por anteriores peregrinos. En una de ellas habían dejado abandonada incluso una deshilachada estera y restos de leña mal quemada, por lo que el gomero se afanó de inmediato en la tarea de encender fuego con dos palos, tal como le enseñara tiempo atrás su buen amigo *Papepac*.

Era ya noche cerrada cuando al calor de la diminuta hoguera se encontraron por fin en condiciones de articular ordenadamente las primeras palabras, y el cabrero lanzó un sonoro bufido que demostraba la profundidad de su desconcierto y desagrado antes de frotarse con violencia las manos y comentar:

—De todos los días difíciles y absurdos de mi vida, éste se lleva desde luego la palma. Prefiero que me persigan los caníbales, a pasar tanto frío para acabar topándome con todas esas momias en conserva...

—Probablemente es el lugar más fascinante que existe en este mundo —musitó con un susurro apenas audible la muchacha.

—¿Cómo has dicho? —inquirió incrédulo *Cienfuegos* temiendo haber oído mal.

—Que es un lugar muy hermoso —insistió ella—. El único en que se ha conseguido vencer a la muerte.

—Nadie ha vencido a la muerte —protestó el isleño desabridamente—. Jamás ha estado la muerte más presente que en esa maldita cueva. Lo único que se ha conseguido es que no se pudran los cuerpos... —Hizo una corta pausa y añadió meditabundo—: ¿Pero por qué? —Se arrancó un largo trozo de piel del antebrazo como quien se quita un guante y masculló casi para sus adentros—: Debe ser que a los gusanos tampoco les gusta el frío y dejan en paz a los cadáveres... Ni el más hambriento podría comer con semejante tiritera...

—¡Qué tonterías dices! —le recriminó la negra que aparecía extrañamente seria—. Se trata de un milagro.

—¿Milagro? —repitió el canario lanzando una corta carcajada sin la menor alegría—. ¡Ja! ¿Qué milagro ni qué porras! Tiene que ser cosa del frío. Por alguna extraña razón que no me explico, mantiene los cuerpos incorruptos.

—Es el milagro del «Gran Blanco» —insistió ella en tono casi obsesivo—. Conserva así los cuerpos de los que han sido justos en la vida.

—¿Incluso los guacamayos? —inquirió burlón el isleño—. ¿Acaso existen guacamayos y colibríes buenos y malos? Hasta el hijo de la gran puta del *Capitán Eu* se hubiera quedado igual si lo meten ahí dentro. Te repito que es cosa del frío. Si cuanto más calor hace, más pronto se pudren los muertos, parece lógico que en esa jodida cueva se conserven durante años... —Agitó la cabeza como si a él mismo le costara trabajo admitir la magnitud de su descubrimiento—. No cabe duda de que en esta parte del mundo cada día se aprende algo nuevo —concluyó—. A este paso acabaré siendo un sabio.

—Tú lo que eres es un impío incapaz de creer en lo que tiene ante sus propios ojos. ¡Esa cueva es un lugar bendito que hace milagros!

—¿Qué clase de milagros? —arguyó *Cienfuegos* visiblemente molesto—. ¿De qué demonios sirve un milagro que afecta a los muertos? Los milagros sólo son útiles en vida, y allí no hay quien viva ni el tiempo necesario para implorar ese milagro...

—No sé aún qué clase de milagros —admitió la africana—. Pero no hemos venido hasta aquí para irnos sin averiguarlo. ¿Te fijaste en el anciano de la túnica? Ése debe ser en verdad el «Gran Blanco»... —señaló, y tras una breve pausa dejó caer lentamente una palabra que le llenó la boca—: ¡Dios!

—¿Dios? —fue la asombrada respuesta del gomero—. ¿Ése...? Pues si Dios se ha quedado tan tieso, no me extraña que en el mundo ocurran las cosas que ocurren —puntualizó con manifiesta mala intención—. Lo que sí está claro es de que no se trata de un «indio». Jamás he visto ninguno tan alto y con barba. Más bien parecía uno de los nuestros... —Le dirigió una larga mirada, reparó en el color de su piel y sus cabellos y añadió como disculpándose—: Quiero decir, de los míos.

—¿Un español? —inquirió ella en tono abiertamente despectivo—. ¿Pretendes hacerme creer que en lugar de un dios es un sucio español?

—No necesariamente español —se justificó *Cienfuegos*—. Tal vez portugués, alemán o italiano... ¡Yo qué sé! Hay mucha gente blanca.

—¿Y cómo llegó hasta aquí?

—¡Cualquiera sabe!

—¿Venía en las naves del Almirante?

—No, desde luego. Y además tengo la impresión de que esa momia lleva ahí muchísimo tiempo.

—¿Cómo puedes saberlo?

—¡No he dicho que lo sepa! —se impacientó el canario al que todo aquel asunto desagradaba profundamente—. Sólo he dicho que «da la impresión». No puedo saber quién es, ni cómo llegó hasta aquí, pero de lo que sí estoy seguro es que ni es un dios, ni creo que pueda hacer ningún tipo de milagros.

—Pues yo necesito un milagro para mi hijo —insistió machacona la africana—. ¿Qué vamos a hacer si no, solos y negros, en esta tierra de «salvajes»? —sollozó—. Si ni siquiera las gentes de su padre lo quieren, ¿quién le querrá? —Alargó la mano y la colocó sobre la rodilla del pelirrojo obligándole a que le mirara de frente—. ¿Es que no te das cuenta de nuestra situación? —inquirió—. Si el niño no nace blanco, no podremos regresar con los «cuprigueri», y estaremos condenados a vagar eternamente por selvas y montañas a merced de bestias como los «motilones». ¡Tengo miedo! —añadió tras una corta pausa—. Tengo miedo por mi hijo, y necesito a toda costa ese milagro.

¿Qué consuelo podía proporcionarle un ignorante y desconcertado cabrero al que un alud de acontecimientos continuaba cayendo encima día tras día sin darle apenas tiempo a reaccionar? El desventurado *Cienfuegos* a duras penas conseguía encontrar solución a los infinitos problemas que una y otra vez le acosaban, y por si todo ello fuera poco se encontraba ahora con que tenía que solucionar también los de una desamparada chiquilla y un mocoso que parecía emperrado en nacer pese a que todo estuviera abiertamente en contra de semejante acontecimiento.

Imaginó cuál sería su destino teniendo que cargar por aquellas ignotas regiones con una asustada muchacha y un negrito que no tendría ni siquiera un pedazo de tela con que cubrirse, y llegó a la conclusión de que, en efecto, necesitaban a toda costa un buen milagro.

Pero el isleño sabía por experiencia que a aquella orilla del océano los milagros todavía no habían hecho acto de presencia, y abrigaba el convencimiento de que el anciano de oscura túnica y barba blanca cuyo cadáver se conservaba intacto por algún extraño fenómeno de la Naturaleza no era en absoluto el cuerpo de un dios, sino el de alguien a quien los aborígenes habían respetado mucho y habían decidido preservar de aquella curiosa forma.

De dónde había llegado era sin duda un misterio que quizá nadie resolvería nunca, pero le vino a la memoria el hecho de que durante la travesía del océano toparon en cierta ocasión con el mástil de una gran nave, por lo que no resultaba del todo aventurado imaginar que tal vez muchos años atrás, esa nave —o cualquier otra— hubiera concluido por naufragar en aquellas lejanas costas y el «Gran Blanco» fuera uno de sus escasos supervivientes.

Debió permanecer por tanto entre los nativos hasta el día de su muerte, y adorado tal vez por su bondad o por la magnitud de su sabiduría, habían concluido por convertir su mausoleo en lugar de culto y peregrinación en el que tan sólo los más respetados jefes y sus esposas tenían derecho a descansar como eternos acompañantes.

Ésa era a su modo de ver la única respuesta lógica al misterio, por lo que hablar de milagros se le antojaba una majadería, y acostumbrado como estaba a hacerle frente a los problemas desde un punto de vista eminentemente práctico, tomó la decisión de que en cuanto el sol comenzara a calentar de nuevo el páramo, emprenderían de grado o por fuerza el regreso al remanso del río donde aguardarían el nacimiento de la criatura sin hacerse demasiadas ilusiones sobre el futuro color de su piel.

Pero al amanecer arreció el frío.

Un viento lúgubre recorrió aullante la muerta llanura para trepar entre remolinos de nieve hasta la cima de la agreste montaña, cargando a la espalda heladas agujas que se clavaban en la carne amenazando con taladrar hasta los huesos.

Una luz gris, plomiza y muerta privó de relieves al paisaje convirtiéndolo todo en un dibujo plano de tonos sepias, y espesas nubes llegaban en legión del noroeste augurando un largo día sin sol que calentara el páramo.

Su primera intención fue convencer a la muchacha de que debían ponerse en camino cuanto antes, pero le bastó un corto intercambio de palabras para comprender que no estaba en condiciones de dar siquiera un paso, ya que en cuanto le golpeara el gélido cierzo exterior se derrumbaría como un fardo.

Fue en ese instante cuando del cielo comenzaron a desprenderse blancas plumas que se adueñaron de cuanto alcanzaba la vista, y el gomero y la dahomeyana se embobaron ante el prodigio de aquellos impalpables copos que caían mansamente, pero que no obstante cubrieron por completo el desolado paisaje de un espeso manto deslumbrante.

—De modo que así es como se forma —musitó para sus adentros el cabrero—. Es cosa de las nubes. Jamás vi nada igual, pero jamás vi tampoco nada capaz de causar tanto daño.

—Me voy a buscar leña y comida —dijo al fin en voz alta—. Espero estar de vuelta antes de que caiga la noche...

—No me dejes sola... —suplicó la africana.

—Si me quedo no viviremos mucho —fue la respuesta—. Con un buen fuego quizá resistamos hasta que estés en condiciones de emprender el regreso, pero así no. —Comenzó a escarbar con fuerza en el blando y seco suelo de la gruta—. Te enterraré hasta el pecho y estarás más caliente. —Le acarició con ternura las oscuras mejillas anegadas de lágrimas—. ¡Confía en mí! —pidió—. ¡Saldremos de ésta!

Le besó en la frente intentando transmitirle una confianza en el futuro que se encontraba muy lejos de sentir, y salió a enfrentarse a un frío y una nieve que amenazaban con convertirse en sus eternos carceleros.

Sin pensarlo un segundo echó a correr.

Y lo hizo porque abrigó de inmediato la certeza de que tan sólo una larguísima carrera en la que fuera capaz de mantener durante horas el mismo ritmo vaciando su mente de todo cuanto no fuera enviar órdenes a sus piernas para que no se detuvieran nunca, le permitiría escapar de aquella blanca trampa, y demostró coraje suficiente como para convertirse en una especie de atleta de maratón sin más destino ni más meta que alcanzar las lindes de un bosque en el que recoger leña seca.

Por fortuna, la capa de nieve, aunque cuajada ya, no era lo suficientemente espesa como para hacer que sus pies se hundieran, y el piso tenía por tanto la consistencia y suavidad necesarios como para correr sin más problemas que el que representaban los invisibles charcos o los achaparrados matojos que incluso podía salvar de un fácil salto.

Muy pronto descubrió, sin embargo, que su principal enemigo no se centraba en el terreno, las piernas o incluso el frío al que combatía con la propia carrera, sino en una pesada y enrarecida atmósfera, que a más de tres mil metros de altitud hacía que el oxígeno le llegase con dificultad a los pulmones produciéndole una angustiosa sensación de asfixia y un furioso zumbido en las sienes que amenazaba con conseguir que le estallara en mil pedazos la cabeza.

Debido a ello, cuando al fin la muerta planicie del sucio páramo comenzó a descender suavemente en busca del barranco, y la nieve dejó muy pronto de cegarle, el isleño pareció extraer nuevas fuerzas de su propia flaqueza, y dejando escapar un alarido de triunfo, alargó aún más el paso y voló sobre la pendiente en procura de los primeros árboles que conformaban una confusa mancha en el horizonte.

El oscuro rostro de *Azabache* se entremezcló en su memoria con las pálidas facciones de Ingrid Grass, y en su confusión y aturdimiento llegó a creer que por quien en realidad corría y a quien pretendía salvar era a su amada, por lo que ni siquiera dejó escapar el más leve lamento cuando una oculta roca le desgarró un tobillo haciéndole sangrar profusamente.

No pareció sentir dolor, al igual que no parecía sentir sed o fatiga, y tan sólo el miedo a no llegar a tiempo dominaba su mente, ya se le creería transformado en un autómata que tan sólo supiera responder a la orden expresa de seguir adelante.

Los árboles llegaban hacia él como si una inmensa mano amiga hubiera decidido empujar el paisaje enviándolo en su busca, y por unos instantes abrigó el convencimiento de que al fin el destino se había puesto abiertamente de su lado.

Necesitó más de dos horas para recuperar las fuerzas.

Aunque lo intentó con insistencia, las piernas se negaron a sostenerle, como si la larguísima carrera hubiese consumido todas sus energías obligándole a permanecer recostado en el tronco de un árbol con la mirada clavada en la alta cumbre de la montaña a la que tenía que regresar, y pese a poner toda su probada fuerza de voluntad en juego una y otra vez, una y otra vez las rodillas le fallaron.

—¡Vamos! ¡Arriba! —mascullaba tratando de darse ánimos mientras se aferraba a una rama izándose a pulso, pero en cuanto se erguía soltando el punto de apoyo volvía a derrumbarse como un saco o como si le hubieran cercenado los tendones.

Siguió así hasta que un acorazado «armadillo» de puntiagudo hocico y vivaces ojillos, hizo de pronto su aparición surgiendo de unas matas, y tras ventear el aire y agitar varias veces sus cómicas orejas, observó sin temor al derrotado pelirrojo, que se le debió antojar tan inofensivo como un pelele inanimado, puesto que contraviniendo las más elementales normas de prudencia, se aproximó a olfatearle el ensangrendo tobillo sin el más mínimo respeto.

El gomero no se encontraba en situación de sentir lástima por nada ni por nadie, y aunque experimentó un leve remordimiento por traicionar tan flagrantemente la confianza del inofensivo mamífero, a la primera ocasión alargó la mano como si se tratara de una zarpa, y aferrándole por la rugosa coraza le retorció el pescuezo en un abrir y cerrar de ojos.

Sin necesidad apenas de moverse consiguió encender una hoguera sobre cuyas brasas colocó al cadáver de su infortunado visitante, asándolo a fuego lento sobre la espalda para que se condimentara en su propio jugo al servir el caparazón de improvisada cazuela según la más suculenta receta «cuprigueri».

El reconfortante almuerzo le permitió recuperar energías y sentirse más animado, por lo que al poco consiguió dar unos primeros pasos aunque no fue hasta una hora más tarde cuando se consideró en condiciones de reemprender la caminata.

Reunió la leña seca que encontró por los alrededores, la sujetó fuertemente con resistentes lianas en dos enormes haces, desvalijó la mayor parte de los nidos vecinos sin preocuparse en absoluto de a qué clase de aves pertenecían los huevos, y tuvo la inmensa suerte de sorprender haciendo el amor a dos absortas tortugas, a las que amarró por las patas colgándoselas al cuello como si se trataran de un viejo par de botas.

—La cena de esta noche, y el almuerzo de mañana —comentó de buen humor—. Caro os va a costar el polvo.

Por último, consciente de que con tanto peso no podría correr y el frío se convertiría una vez más en su peor enemigo, se apoderó de la tea que mejor ardía en la hoguera, poniéndose por fin en marcha decidido a llegar a la cueva antes de la caída de la noche aunque tuviera que dejarse la piel en el camino.

Si dura fue la carrera, y agotador su resultado, el viaje de regreso podría ser inscrito en los anales del Nuevo Mundo como una de sus hazañas más gloriosas e ignoradas, pues el improbable observador que hubiera sido testigo de cómo aquel gigante cojitranco, asfixiado, sudoroso y al propio tiempo martirizado por el frío, luchaba contra el viento bajo su insoportable carga, jamás hubiera podido llegar a comprender cómo es que conseguía avanzar siquiera un paso.

A buen seguro que ni el propio *Cienfuegos* habría sabido dar tampoco respuesta a tal demanda, puesto que cuanto sucedió aquel terrible día quedó luego en su memoria como una página en blanco, tal vez porque de un modo inconsciente se esforzó por olvidarlo, o tal vez porque fue tanta la energía que tuvo que derrochar su cuerpo, que no le quedaron fuerzas ni para grabar los recuerdos en su mente.

Fue como una pesadilla en la que se veía a sí mismo luchando con la nieve y el viento aunque sin querer aceptar que formaba parte de ese sueño, insensible al dolor y a la fatiga, y tan cegado por la necesidad de alcanzar su destino, que ni aun todas las legiones del averno hubieran conseguido detenerle un momento.

De tanto en tanto se aproximaba al pecho el hachón encendido procurándose así el calor que estaba necesitando, y cuando la tea se consumió la sustituyó por una de las ramas que cargaba a la espalda, lo que si bien le reconfortaba en cierto modo, daba como resultado lógico que algunas partes de su cuerpo apareciesen chamuscadas mientras otras corrían riesgo de congelarse.

Por fortuna había dejado de nevar, y pese a que el cielo continuara mostrándose encapotado, oscuro y amenazante, y la nieve caída le dificultara aún más la marcha, *Cienfuegos* se había concentrado en evadir su mente, aislándose de cuanto no estuviese relacionado con su perentoria necesidad de seguir siempre adelante, que ni aun la falta de oxígeno de la tremenda altura le afectaba como a la ida, ya que se había transformado en una máquina capaz únicamente de adelantar un pie después del otro.

Se esforzaba en no pensar en Ingrid ni en la negra —o quizá ni siquiera se encontraba en condiciones de hacerlo—, como si el simple hecho de permitir que sus pensamientos escaparan tan sólo unos segundos, pusiera en serio peligro la razón primordial de su existencia.

Buscó inconscientemente ayuda, sin embargo, en una vieja canción de la marinería de la *Marigalante*, obsesiva tonadilla que la tripulación entonaba a coro cuando llegaba el trabajoso momento de alzar a pulso el pesado velamen o remar al unísono remolcando la nave en mitad de una calma, y agradeció en el alma que fuese capaz de repetirse a sí misma y por sí sola tan insistentemente que no le diese oportunidad de pensar en otra cosa.

Trinidad; a proa se abre el mar,
y el mar se cierra a popa.

Con temporal de frente
o buen viento a la espalda.
Todo es lo mismo,
aunque todo es diferente,
y dondequiera que esté
tu voz me llama eternamente...

... Trinidad; no importa el rumbo,
ni tampoco el destino.
No importa el puerto,
ni tampoco el peligro.
Importa el mar
e importa el horizonte,
importa el sabor a sal,
y me importa tu nombre...

... Trinidad; a proa se abre el mar,
y el mar se cierra a popa...

Quién era aquella Trinidad de la romanza, y qué enamorado timonel le cantó por primera vez una noche de nostalgia mientras mantenía fija la proa hacia una estrella lejana, nadie lo supo nunca, pero lo cierto era que la pegadiza cantinela tenía la virtud de aferrarse como un pulpo al cerebro estableciéndose allí durante días, y el canario *Cienfuegos* recordaba la furia y la impotencia que se apoderaba de «Maese» Juan de La Cosa cada vez que la escuchaba, pues sabía por experiencia que más tarde apenas conseguiría pegar ojo por culpa de la insistencia con que Trinidad se complacía en volver una y otra vez sobre sí misma cuando estaba ya a punto de conciliar el sueño.

«... Trinidad; a proa se abre el mar,
y el mar se cierra a popa...»

No había allí, por desgracia, ningún mar que se abriera con sus cálidas aguas, ningún horizonte con sabor a sal, ni ningún puerto al que volver algún día por lejano que fuese. No había más que nieve, frío, desolación, y una tierra que empezaba a sospechar ilimitada, pues a aquellas alturas de la vida el ignorante cabrero que ningún interés tuvo nunca en participar en la más mínima hazaña conquistadora, empezaba a barruntar que el lugar al que le había arrojado en esta ocasión su eterna mala suerte, no era una isla, sino más bien un continente.

El solo hecho de atreverse a comentar delante de Su Excelencia el Almirante Don Cristóbal Colón, que aquella enorme montaña no se asentaba en una pequeña isla que se interponía estúpidamente en su camino al cercano Cipango y los palacios de oro del Gran Kan, sino que a buen seguro se elevaba en el interior de un inmenso y desconocido continente que nada sabía del poderoso Emperador de la China y sus lujos excéntricos, habría hecho que sus días acabaran en la horca, pero una de las únicas cosas positivas que tenía la terrible situación en que el gomero se encontraba, era la casi absoluta seguridad de que el severo Virrey debía estar muy lejos.

¿Dónde?

Para saberlo hubiera sido necesario tener primero una idea de en qué lugar del mundo se hallaba él mismo, y *Cienfuegos* había perdido tiempo atrás la cuenta de los cientos de vueltas y revueltas que se había visto obligado a realizar desde el día en que abandonara los humeantes restos del «Fuerte de La Natividad» en compañía de su buen amigo el viejo *Virutas.*

Tan sólo tenía plena conciencia de que había dejado muy al norte el caliente mar de los caribes con sus infinitas islas, para adentrarse en una tierra sin horizontes que cada día se le antojaba más inhóspita y agreste, y de la que aquel majestuoso «Gran Blanco» no constituiría probablemente un aislado picacho que se alzaba solitario en mitad de las interminables serranías dominadas por los feroces «motilones», sino que tenía aspecto más bien de formar parte de una gigantesca cadena montañosa que se perdía de vista hacia el suroeste.

¿Hasta dónde llegaría?

El pobre pastor gomero tardaría en tomar plena conciencia de que en realidad sus apreciaciones eran exactas debido a que su errante estrella le había empujado hasta las primeras estribaciones de la Cordillera Andina con su interminable rosario de cumbres que superaban con frecuencia los seis mil metros de altitud, aunque lo cierto era que tampoco se encontraba en situación de reparar en semejantes nimiedades, puesto que lo que en aquellos momentos importaba era alcanzar la pequeña cueva en que una pobre negra embarazada y hambrienta tiritaba, antes de que el frío de la noche la matase.

«Trinidad; a proa se abre el mar
y el mar se cierra a popa...»

El sol tan sólo hizo su aparición para despedirse de un largo día que no había sido suyo ni tan sólo un instante, pero su aparición sirvió para alertar al agotado *Cienfuegos* del escaso tiempo de que aún disponía, lo que le obligó a avivar aún más el paso hasta el punto de que al penetrar con las primeras sombras de la noche en la caverna, cayó de rodillas totalmente vencido.

Dejó escapar un sollozo de angustia.

Azabache no estaba.

Doña Mariana Montenegro se encontraba más triste que de costumbre. Dos de sus mejores amigos, Alonso de Ojeda y la princesa Anacaona la habían abandonado por el momento, y como «Maese» Juan de La Cosa hacía ya mucho tiempo que regresara a España, tan sólo le quedaba don Luis de Torres como fiel contertulio con el que compartir el tedio y las largas horas de espera.

Muchas cosas habían ocurrido en la isla desde antes incluso de haber abandonado la ciudad de «Isabela» estableciéndose en la más hermosa y salubre Santo Domingo, y aunque en lo económico la mayoría de ellas habían sido harto beneficiosas para la alemana, echaba de menos su granja y aquellos buenos amigos que tanto le habían ayudado en sus comienzos.

Don Bartolomé Colón de un lado y Miguel Díaz de otro habían sabido mantener sus promesas y la ex vizcondesa podía considerarse ya una mujer muy rica gracias al oro que le correspondía en el reparto de las minas del Ozama, por lo que se estaba construyendo en aquellos momentos una de las más hermosas mansiones de la desembocadura del río.

La compartía con el silencioso Haitiké, el fiel Bonifacio Cabrera y tres sirvientas indias de Anacaona que no se atrevían a desobedecer a su reina escapando a la selva, pero la prolongada ausencia de *Cienfuegos* se volvía cada vez más insoportable, en especial desde que no tenía a su lado al pequeño Ojeda que la distrajera con sus bromas.

Al conquense le habían vencido al fin sus ansias de aventura, y tras aguardar inútilmente a que le ofreciesen el mando de una expedición que se lanzase a la conquista de nuevas tierras, había llegado a la triste conclusión de que los Colón jamás consentirían que nadie ajeno a la familia moviese un dedo en el Nuevo Mundo, por lo que tomó la decisión de acudir a pedir permiso personalmente a unos Reyes Católicos que parecían compartir desde tres años antes, la generalizada idea de que no se podía dejar todo un naciente imperio a merced de los caprichos del ambicioso Virrey.

Por su parte, la desilusionada *Flor de Oro* había preferido regresar junto a su hermano, el Cacique Behéchio, a sus dominios de Xaraguá, adonde al poco acudió a visitarla el mismísimo Don Bartolomé Colón, quien al parecer mantenía desde antiguo la secreta esperanza de sustituir al más valiente de los capitanes españoles en el corazón y en el lecho de la más hermosa de las princesas haitianas.

Las crónicas nunca se han puesto de acuerdo sobre si el ladino Gobernador acostumbrado a conseguirlo todo basándose en las influencias de su poderosísimo hermano Cristóbal, obtuvo o no los favores de la portentosa viuda del cacique Canoabó, pero lo que sí se sabe, es que pasó a su lado una semana que le resultaría inolvidable y en la que se dedicó a ofrecer fastuosas fiestas a los nobles españoles, y a pasear por la bahía en el mayor de los buques construidos en los nuevos astilleros de la isla.

Resulta a todas luces evidente, que mientras el genovés tan sólo buscaba satisfacer una lógica apetencia personal, la indígena —que aún seguía enamorada de Alonso de Ojeda— se encontraba mucho más interesada en obtener del Gobernador el difícil privilegio de que Behéchio continuara siendo considerado jefe absoluto de la región de Xaraguá disfrutando así de una suerte de autonomía dentro de las fronteras de lo que constituyeran desde siempre los tradicionales dominios de su familia.

A un hombre tan ducho en todo tipo de intrigas palaciegas como tenía fama de serlo el mayor de los Colón, no le debió pasar inadvertido el hecho de que, teniendo ya tantos enemigos, un fiel aliado establecido, en un punto estratégico de la isla constituiría una valiosísima ayuda, por lo que tampoco ha quedado nunca aclarado si las concesiones que por fin hizo fueron debidas a su visión política o a la simple satisfacción de sus deseos.

Al fin y al cabo, y como solía suceder con la mayoría de los aborígenes del Nuevo Mundo, Anacaona era una mujer de costumbres liberales en cuanto al sexo se refiere, y tal vez no le desagradó en exceso la oportunidad de pasar de ser perseguidora de un esquivo capitán, en acosada por un encelado gobernador.

Sin embargo, a su buena amiga *Doña Mariana Montenegro* le hacía daño escuchar los maliciosos comentarios que corrían de boca en boca sobre las supuestas «orgías» que habían tenido lugar en el lujoso «bohío» privado de la princesa a orillas de una de las más hermosas playas de poniente, y se preguntaba cómo era posible que aquella inocente criatura que acudiera un día a su granja a pedirle que le enseñara a conseguir el amor del altivo Ojeda, hubiese aceptado entregarse a un individuo tan ruin y ambicioso como demostraba ser Bartolomé Colón.

—Anacaona, como todos los de su raza, se siente profundamente herida por el trato que ha recibido de nosotros —fue el comentario de Don Luis de Torres una de aquellas tardes en que solía acudir a visitarla—. Y a la larga ha debido llegar a la conclusión que no le queda más camino que utilizarnos aprovechando nuestras debilidades. Nos veía como dioses intocables, y ahora nos ve como lo que en verdad somos: tipos brutales que se matan por un puñado de oro.

—Odio ese oro —señaló la alemana convencida—. Soy, quizás, una de las personas que más tiene en la isla, pero aun así, lo aborrezco. Podéis creerme si os digo que renunciaría a él si supiera que haciéndolo contribuiría a un mejor entendimiento entre nativos y cristianos.

—No bastaría con vuestro oro, ni aun con cuanto pueda existir en estas tierras, para conseguir que dos pueblos tan distintos se comprendiesen, puesto que aunque consiguieseis eliminar sus otras diferencias, la religión seguirá separándoles por siglos que pasen.

—La religión une, no separa.

—Une cuando es una, pero, ¿cuál ha de ser? ¿La vuestra, que trata de imponerse por la fuerza? ¿La mía, a la que tuve que renunciar para evitar que me expulsaran de España? ¿O la de unos supuestos «salvajes» cuya única creencia estriba en el hecho de que vivir debe constituir ante todo un continuo placer?

—La vida no es un placer más que en muy determinadas circunstancias... —puntualizó con tristeza Ingrid Grass.

—... Como cuando se comparte con la persona que se ama... —concluyó la frase el converso—. Pero olvidáis que estas buenas gentes acostumbran a hacerlo, puesto que su sistema social no les obliga a otra cosa. Y como su falta de ambiciones les pone a salvo de la avaricia y el ansia de poder, su existencia acostumbra a ser bastante armoniosa.

—Esa armonía era lo que Cristo buscaba.

—La diferencia entre lo que buscaba Cristo y lo que buscan actualmente los cristianos se puede resumir en una sola palabra: «Iglesia.»

—Os podrían quemar por eso.

—Si lo contarais, sí.

—Mucho confiáis en mí.

—Tanto, que pondría en vuestras manos mi vida, mi hacienda, e incluso mi fe. —Sonrió con evidente amargura—. De hecho, ya las he puesto —concluyó.

—Lo sé —admitió ella convencida—. Y aborrezco semejante responsabilidad. —Le dirigió una larga mirada de afecto—. Lo que en verdad tendríais que hacer es dejar de frecuentar burdeles y buscaros una buena esposa.

—¿Una esposa? —se asombró el converso—. ¡Vamos! Sabéis muy bien que siempre seréis la única mujer de mi vida pese a que el tiempo me ha enseñado que tan sólo existen dos fortalezas inexpugnables: la voluntad de una mujer enamorada, y el fanatismo de un cura iluminado.

—De esos últimos empieza a haber ya aquí demasiados.

—Eso me temo... —admitió el converso y por la expresión que cobró su afilado rostro resultaba evidente que el tema le preocupaba—. Uno de los principales aciertos del Almirante fue dejar a un lado a la Iglesia en un principio, pero no cabe duda de que ésta se apresuró a recuperar el tiempo perdido y no perdona la ofensa. O mucho me equivoco, o serán los curas los que al fin destruyan al Virrey. En Palos le ayudaron, y «a palos» acabarán con él.

—A menudo me asombra lo cruel que podéis llegar a ser en vuestros juicios.

—A aquellos que renunciamos a nuestro Dios por miedo o por comodidad, no nos queda otro refugio que el llanto o la crueldad. Y ya dilapidé todas mis lágrimas.

—Las lágrimas no son monedas que se gasten o se ahorren —negó ella—. Amar y odiar, reír y llorar, son dones que se nos conceden sin medida o se nos niegan por completo. Jamás nadie conseguirá conservar todas sus risas, ni dilapidar todas sus lágrimas.

—Sólo un judío converso.

—Os pierde la soberbia, amigo mío. Ni haber sido judío es para tanto, ni dejar de serlo para tan poco. Dios no está en los ritos, y yo ya tan sólo puedo creer en aquel que me devuelva la esperanza. Por recuperar a *Cienfuegos* renunciaría a mi fe sin derramar tan siquiera una lágrima.

—Jugáis con ventaja, pues hacéis referencia a cosas que los demás desconocemos.

—Ése es mi privilegio. —La alemana hizo una corta pausa para añadir con dolor—: Y mi castigo. Pero olvidemos las frases altisonantes y vayamos a lo que importa: ¿Qué opináis de la revuelta de Roldán?

—Que es tan sólo una cuestión de política entre ambiciosos. No me afecta.

—Pero afecta a otros muchos. En el fondo, lo que pide: un trato más justo para con los indígenas y una menor dependencia de la voluntad de los Colón se me antoja lógico.

—Cuando le nombraron Alcalde de «Isabela», Roldán se comportó tan despóticamente como cualquier Colón. Lo que le duele es haber perdido ese poder ya que el destino de los «indios» no le importa en lo más mínimo. Para él no son más que esclavos en potencia, pero ahora, como los necesita, les ofrece una libertad que antaño les negó. Hacedme caso —suplicó—. No toméis partido en esa confrontación. Roldán o Colón, Colón o Roldán, «Tanto monta, monta tanto», y uno y otro se sentirían felices independizándose de España y fundando en la isla un reino propio.

—Aún es pronto para eso.

—Siempre es demasiado pronto para convertirse en tirano, pero los tiranos no acostumbran ser pacientes. A mi modo de ver, Don Francisco Roldán no es más que un sátrapa que trata de aprovecharse de que Europa está demasiado lejos. Colón finge al menos respetar a los Reyes, pero Roldán se convertiría en un déspota. —Hizo una corta pausa—. Y odia a los judíos.

—Los judíos, incluso los conversos, tenéis la fea costumbre de creer que todo el mundo os odia.

—Son casi mil quinientos años de experiencia los que nos avalan —señaló no sin cierta ironía Luis de Torres—. El ser humano siempre ha necesitado alguien en quien descargar sus culpas, la mayoría de las naciones han encontrado en el pueblo judío un chivo expiatorio, y no confío en que en este Nuevo Mundo nos aguarde un destino diferente pese a que haya sido descubierto por uno de los nuestros.

—¿Continuáis firmemente convencido de que Don Cristóbal es también un converso?

—De segunda generación, probablemente.

—¿Lo aborrecéis por eso?

Se diría que Luis de Torres necesitaba estudiar en su interior cuáles eran sus auténticos sentimientos, antes de responder tras sacudir por dos veces la cabeza con gesto despectivo.

—Por eso me aborrezco a mí mismo; no a él. A él más bien le desprecio porque el destino puso en sus manos la oportunidad de llevar a cabo la mayor y más noble de las empresas, y tan sólo se dedica a enfangarla con sus mezquinos egoísmos. Vendería su puesto en la Historia por un puñado de oro y un título nobiliario.

—Sois injusto —protestó la alemana—. Ya posee todos los títulos y el oro que el más exigente de los hombres pudiera desear, y sin embargo continúa empeñado en la peligrosa tarea de circunnavegar la tierra y llegar a la corte del Gran Kan.

—Pero no lo hace por amor a la gloria, sino porque su increíble soberbia le impide aceptar que estaba equivocado... ¿Dónde se ha visto que un gran hombre se dedique a ahorcar a aquellos que intentan hacerle comprender una verdad que tan sólo él se empeña en no aceptar? ¿Cuántos más tendrán que morir inútilmente antes de que acepte que éstas no son las costas de Asia?

—¿Acaso os resulta tan evidente?

—Tanto como que sois la mujer más excepcional que jamás haya existido.

Doña Mariana Montenegro no pudo evitar que se le escapara una divertida carcajada.

—En ese caso, Cipango está muy cerca —replicó—. Pues yo, de excepcional, no tengo más que mi empecinamiento en amar a un hombre que tal vez haya muerto. —Abrió las manos en señal de impotencia—. Pero, ¿qué otra cosa puedo hacer más que esperar?

Nada podía hacer, en efecto, más que esperar a *Cienfuegos* y enriquecerse insultantemente con la parte del oro que le correspondía, pero ambas cosas le iban procurando día a día más y más enemigos, pues a la colonia iban llegando nuevas gentes que nada sabían del hambre, los peligros, las enfermedades y la muerte de los primeros tiempos de «Isabela», y nada sabían tampoco de los sacrificios que la esforzada alemana tuvo que hacer en su día para sacar su granja adelante o para brindar algún consuelo a los solitarios, los moribundos y los hambrientos que continuamente llamaban a su puerta.

¿Quién era y de dónde había salido en realidad aquella hermosa mujer inaccesible que alzaba a tiro de piedra del Alcázar del Almirante un prodigioso caserón de piedra negra?

No se le conocían amantes ni nobles protectores, su nombre era a todas luces falso, dado su acento, y más de una lengua maledicente aseguraba que se trataba de una prófuga de la justicia o una espía portuguesa que tal vez alentaba en la sombra las ambiciones del rebelde Roldán.

Los curas la aborrecían, pues jamás acudía a susurrarles al oído sus pecados; las mujeres la odiaban pues ninguna podía comparársele en prestancia, y los más nobles caballeros de escuálidas bolsas la envidiaban por los talegos de polvo de oro que cada mes le entregaba el Contador Real.

Tan sólo Miguel Díaz, que había conseguido alcanzar un puesto de máxima confianza junto a los Colón, la defendía, al igual que Luis de Torres y algunos de los valientes capitanes de la vieja guardia de Alonso de Ojeda, pero la ex vizcondesa echaba en falta la presencia de este último, pues el de Cuenca era el único que hubiera sabido hacer callar a sus detractores sin más ayuda que su invencible espada.

—Mala tierra empieza a ser ésta para una mujer sola, pues más peligrosas resultan las maledicencias que las flechas de los guerreros —se lamentó una noche ante el fiel Bonifacio—. Te aseguro que si no confiara tanto en el regreso de *Cienfuegos* me embarcaría en la primera nave que zarpara rumbo a Europa.

—Peores las tuvimos con las fiebres —replicó animosamente el cojo—. Quien consiguió salir con vida del infierno de «Isabela», a nada ni nadie debe temer ya sobre la tierra... Si queréis un buen consejo, repartir algunas monedas entre media docena de caballeros de capa raída y espada en venta de los que frecuentan la taberna de «Los Cuatro Vientos», que se sentirían felices de convertirse en vuestra guardia personal a cambio de una comida caliente y un buen jarro de vino cada noche. La mayoría se van al catre sin otra cosa entre pecho y espalda que sus fantasiosos sueños de conquista y grandeza.

—Aborrezco la idea de hacer que me respeten por la fuerza —protestó la alemana francamente dolida.

—Los que os conocen os respetan por vos misma, pero no podéis pretender que todo el mundo os aprecie. Provocáis celos y envidias y bien es sabido que entre los españoles ésos son frutos que crecen con poco riego.

—¿Acaso aún no te sientes español?

—Yo siempre me sentiré ante todo «guanche», señora, que por mis venas corre diez veces más sangre de pagano aborigen que de cristiano viejo. Como por las de *Cienfuegos*... —Rió divertido—. ¿Sabíais que el cura le andaba siempre persiguiendo con intención de bautizarle?

—¡Existen tantas cosas de él que nunca supe...! —se lamentó Ingrid Grass—. Todo nuestro tiempo lo dediqué a quererle.

Tras encender un grueso tabaco a los que se había aficionado en los últimos tiempos, el renco Bonifacio alzó de nuevo el rostro hacia la mujer que se había convertido en toda su familia y en el eje sobre el que giraba su joven existencia.

—Incluso a mí, que os conozco como nadie, me cuesta a menudo un gran esfuerzo comprender las razones por las que amáis tan desorbitadamente a un hombre del que os separaron siempre un millón de cosas —señaló al fin—. ¿Tanto valen los besos y caricias, que incluso convierten en inútiles las palabras?

—Si fuera tan sólo cuestión de besos y caricias, mi amor valdría bien poco —replicó ella serenamente—. Pero el simple hecho de estar cerca de *Cienfuegos*, escuchar su voz sin entenderle y sentirle respirar o reír entre dientes arrugando la comisura de los labios, llenaba a tal punto de gozo mi alma, que era como si toda una corte de ángeles bajaran a saludarme. Verle era como ver que se abrían las puertas del Paraíso; sentir que me miraba, subir a la más alta cima de los Alpes; saber que me esperaba, esperar un milagro que siempre se cumplía, y alejarme de su lado, romperme en mil pedazos sin remedio. Si a todo ello le unes los besos y caricias, tal vez consigas comprenderme.

—¡Diantres!

—¡Diantres! Dices bien. Si a mí misma me cuesta admitir que así fueran las cosas a su lado, y tan sólo el eterno vacío y la infinita angustia que experimento desde que se marchó me convencen de que en verdad lo eran, mal puedo pedirle a quien no le conociera, que tenga una remota idea sobre aquello de lo que le estoy hablando. Al igual que al ciego le resultan inimaginables los colores, quien no se haya mirado como yo en los ojos de *Cienfuegos* nunca sabrá lo que es el auténtico amor.

—Tendríais que subiros a una mesa en la Plaza de Armas y explicarle a todos lo que a mí me habéis dicho, pero aun así dudo mucho que os dejaran en paz.

Razón tenía el renco Bonifacio, pues ni los curas, ni las mujeres, ni los solteros —que eran en la colonia inmensa mayoría— entendían las razones por las que una criatura tan joven, hermosa y rica como *Doña Mariana* prefería encerrarse en su caserón a leer gruesos libros y dejar pasar las horas meditando, que asistir a lujosas recepciones, pasear a caballo por la orilla del río o atender los requerimientos de docenas de rendidos admiradores.

Valientes capitanes o nobles cortesanos de escasa fortuna y grandes ambiciones que habían llegado a «La Española» con la esperanza de mejorar a toda costa sus maltrechas haciendas, creían haber encontrado inmediato remedio a todas sus cuitas por el sencillo procedimiento de llevar a los altares a la rica alemana, y debido a ello rara era la noche que no se escucharan bajo su balcón las melodías de una ronda, sin que nadie consiguiese recordar que jamás se encendiera una luz en la casa o se entreabriese una cortina.

—Sin duda es una espía.

—O una bruja.

—O le gustan las mujeres y se entiende con sus criadas indias.

—Deberían expulsarla de la isla.

Don Luis de Torres, Miguel Díaz o algunos de los marineros de la primera hornada, continuaban saliendo en su defensa cuando estaban presentes, pero los colonos iban siendo cada vez más numerosos y eran mayoría las ocasiones en las que su nombre pasaba de boca en boca sin que ni siquiera una voz proclamara su inocencia.

No resultó por ello extraño el que una noche llamara a su puerta un enviado de Francisco Roldán proponiéndole que se uniera a la causa de los rebeldes a cambio de la promesa de nombrarla Alcaldesa de Santo Domingo en caso de victoria, lo cual le otorgaría sin lugar a dudas una situación social tan privilegiada, que nadie se atrevería ya nunca a convertirla en víctima de sus insidias y maledicencias.

—¿Alcaldesa una extranjera con fama de espía? —se asombró la ex vizcondesa—. Muy desesperado debe encontrarse Roldán cuando precisa de la ayuda de una mujer que ni siquiera sabe empuñar una espada.

—No se encuentra en absoluto desesperado —fue la áspera respuesta—. Pero es consciente de que un poco de vuestro oro acabaría de convencer a muchos indecisos.

—Entiendo... —admitió la alemana—. Pero quien esté dispuesto a dejarse comprar por mi oro, también lo estará a venderse al de los Colón, y resulta evidente que tienen mil veces más que yo. Mal negocio se me antoja en ese caso.

—No es cuestión de negocio, sino de ideales. Es preciso acabar de una vez con la tiranía de los genoveses.

—«Los genoveses», como vos los llamáis, han sido nombrados por los Reyes, y quien se alza contra ellos se alza por tanto contra la Corona. No entiendo gran cosa de política, pero sospecho que el futuro cierto de todos los rebeldes será acabar colgando de una cuerda, y a fe que preservo mi cuello para un mejor destino.

—Si triunfamos, colgaréis de esa cuerda por no habernos ayudado.

La amenaza tenía todas las trazas de ir en serio, y aunque *Doña Mariana Montenegro* no era mujer que se asustase fácilmente, llegó a la conclusión de que se hacía necesario tomar precauciones por lo que decidió escuchar al cojo Bonifacio empleando una pequeña parte de su oro en contratar los servicios de cuatro guardaespaldas.

—Tristes tiempos estos en los que los lobos tienen que guardar a los corderos —se lamentó ante el renco—. Pero a Nuevo Mundo, viejos vicios. Y aun peores.

Azabache no aparecía por parte alguna.

No estaba en la cueva, ni tampoco en la gran gruta de hielo que conservaba tan maravillosamente los cadáveres, y pese a que *Cienfuegos* la buscó por los alrededores, no consiguió hallar el más mínimo rastro que le permitiese hacerse una idea de cuál había sido su destino.

Perdió la noción del tiempo aguardando su regreso o confiando en que el sol derritiese la gruesa capa de nieve permitiéndole descubrir su cadáver, pero cuando al cabo de más de una semana, el frío y el hambre le devolvieron a la triste realidad de que, o trataba de salvarse a sí mismo o allí acababan también sus desgracias, extrajo fuerzas de la flaqueza, empleó medio día en llevar a cabo una última inspección de los alrededores, y optó por emprender el regreso, convencido de que una vez más le habían dejado solo.

La desaparición de la negra le afectaba quizá más que ninguna otra de las muchas desgracias que se abatieran sobre él en los últimos años, y no podía por menos que preguntarse hasta cuándo continuarían los cielos haciéndole objeto de sus caprichos, pues había llegado a unos extremos en los que podría creerse que había sido elegido como víctima de todo cuanto de malo pudiera ocurrirle nunca a nadie.

La muerte le seguía adonde quiera que fuese como amante celosa de otros afectos, incapaz de alzarse contra él, pero decidida en apariencia a destruir a cuantos le rodeaban, hasta el punto de que el infeliz canario empezaba a creer que lo mejor que podría ocurrirle era no conocer a nadie más por quien pudiera experimentar el más mínimo aprecio.

Los seres humanos aparecían y desaparecían a su paso como si hubiesen sido colocados allí con la única finalidad de que los barriera de la faz de la tierra, como si más que de un hombre se tratase de un viento huracanado, y alcanzaba tal punto su sorda ira contra quien le enviaba tales castigos que, en un momento dado, se detuvo en mitad de la nieve y alzando el puño increpó a las alturas pidiéndoles cuentas de sus actos.

La pareja de cóndores le observaba perpleja.

La soledad de un hombre semidesnudo que lo había perdido todo y vagaba por un helado páramo a tres mil metros de altura en el corazón de un continente inexplorado, difícilmente tendría comparación con la soledad de ningún otro ser humano en ninguna otra circunstancia, por lo que no resultaba en absoluto extraño que el gomero *Cienfuegos* continuara preguntándose si no sería preferible tumbarse sobre la blanda nieve para siempre.

Ésa debió ser sin duda la decisión de la africana.

Cansada, hambrienta y convencida de que el hijo que esperaba no tenía ninguna oportunidad de nacer blanco, eligió el camino de la derrota dando por concluido un largo y absurdo viaje que le había llevado desde un tórrido poblado lacustre en el lejano Dahomey, a las estribaciones de la gélida Cordillera de los Andes, donde a finales del siglo diecinueve un glaciar devolvería su cuerpo ante el asombro de quienes desconocían su dramática historia.

Se cerraba de ese modo un nuevo y doloroso capítulo en la vida de *Cienfuegos*, quien profundamente fatigado en cuerpo y alma pero decidido en el fondo a conservar la vida —que era lo único que en verdad tuvo nunca—, optó por descender a la poza del río, donde permitió que transcurrieran largos meses instalado bajo un minúsculo chamizo viendo caer la lluvia, crecer el nivel de las aguas, aparearse a las aves, pescar a las nutrias y acechar a su presa a los jaguares, incapaz de tomar una decisión sobre qué rumbo darle a su vida en un futuro, o el camino que debía elegir para salir de aquel profundo agujero.

Frente a él se alzaban las nieves y los páramos del «Gran Blanco», y a su espalda la agreste serranía de los feroces «motilones».

Y si de algo estaba seguro el cabrero pelirrojo, era de que jamás volvería a disfrazarse de blanca garza peregrina, por lo que, continuamente se preguntaba cómo se las ingeniaría para atravesar el territorio de unos salvajes que parecían tener la macabra afición de convertir cráneos de intrusos en adornos de puentes.

Dedicó mucho tiempo a recordar punto por punto las enseñanzas de su querido amigo *Papepac*, aquel camaleónico cazador de caimanes que una vez le salvara la vida convirtiéndose luego en el mejor maestro que pudiera existir en todo cuanto se refiriese a la vida en la jungla, esforzándose por evocar sus palabras, sus movimientos e incluso sus silencios, puesto que también de aquellos silencios se conseguía sacar provecho cuando se aprendía a interpretarlos.

Y de sus infinitos consejos, uno en especial le había quedado grabado como marcado a fuego: «La selva —decía— odia a quien le teme y destruye a quien la desprecia. La selva tan sólo ama a quien la ama y la respeta. Aprende a conocerla, acéptala como es, y entrégate a ella. Saldrás con vida.»

Papepac había sabido demostrarle que incluso en la más densa, húmeda y caliente de las junglas, allí donde todo parece haberse convertido en fango y muerte, consigue sobrevivir quien sabe buscar un rastro de vida, una liana que rezuma agua potable, un fruto escondido, una raíz alimenticia, o un gusano de aspecto repelente pero que calma el hambre.

Le había enseñado todo, pero jamás le había enseñado cómo defenderse de los temibles «motilones».

Sobre cómo librarse de jaguares, caimanes, arañas y serpientes sí; e incluso de los sanguinarios «caribes» devoradores de carne humana que eran más bien gente acostumbrada a tender emboscadas en manglares y playas, pero nunca le mencionó —sin duda porque no tuvo que enfrentarse a ellos— a una raza de hombres invisibles que vagabundeaban por los espesos bosques de la alta montaña, dejando a su paso un rastro de cadáveres putrefactos y acechando desde las sombras a sus víctimas.

A ésos tenía que aprender a combatirlos por sí solo.

Pero, ¿cómo?

Dedicó varias semanas a buscar una fórmula que le permitiese atravesar una agreste región en la que tras cada matojo o cada árbol podía esconderse un hombre dispuesto a asesinarle, y cuando al fin creyó haber trazado un plan que se le antojó factible, se tiñó el cabello y la barba con negro jugo de «genípapo», embadurnándose de igual modo y a conciencia la mayor parte del cuerpo, de tal forma que quien le descubriera no hubiera dudado en tomarle por un cercano pariente de *Azabache*.

A la mañana siguiente se echó a la espalda una rústica hamaca y una «mochila» que había ido tejiendo con infinita paciencia utilizando una especie de algodón silvestre que crecía a las márgenes del río, y, recogiendo sus armas y un corto palo a cuyo extremo colgaba el putrefacto cadáver de un mono, emprendió decidido la difícil aventura.

En primer lugar trepó por las paredes del barranco hasta el punto en que podía ser ya divisado desde arriba, para aguardar allí pacientemente la caída de la noche, y cuando llegó a la conclusión de que cualquier salvaje que pudiera merodear por los alrededores llevaría horas durmiendo, continuó su ascensión muy lentamente, confiando tan sólo en su sentido del tacto, y sin alzar nunca una mano hasta tener la otra y ambos pies firmemente asentados.

Era como un oscurísimo lagarto o una anaconda reptando metro a metro con el vacío a la espalda, tan sigiloso, que ni quien se encontrara a menos de cinco metros de distancia conseguiría detectar su presencia, puesto que pese a tener la absoluta seguridad de que nadie podría verle, *Cienfuegos* se esforzaba en ralentizar al máximo sus movimientos, ya que como su maestro, el diminuto *Papepac* aseguraba, «Sólo aquel que aprende a dominar sus nervios cuando no resulta necesario, es capaz de dominarlos cuando resulta imprescindible».

Convertirse en «camaleón» no constituía en verdad empresa fácil, puesto que el ser humano es por naturaleza impaciente y brusco, esclavizado demasiado a menudo por miedos absurdos y prisas irracionales, pero el cabrero tenía en este caso a su favor toda una infancia de pastor habituado a largas esperas en las que con frecuencia jugaba a convertirse en estatua para que lagartijas, gorriones e incluso conejos acudieran sin miedo a comer en su mano.

Debido a ese convencimiento, empleó casi dos horas en ascender los últimos metros que le separaban de la cima, permaneciendo durante largos minutos escuchando, hasta el punto de que llegó un momento en que se sintió capaz de localizar la posición exacta de cada grillo que cantaba en la noche.

Abajo, el rumor del río abriéndose camino entre las rocas; a media pared la esporádica llamada de algún ave nocturna; sobre su cabeza los densos silencios de la selva, rotos de improviso por el histérico canto del «Cristo-fue» o el desesperado graznido de agonía de un loro sorprendido en su sueño por un sigiloso depredador, y por último, en el aire, el pesado aleteo de los búhos en busca de sus presas.

Al alcanzar la cumbre extremó sus precauciones evitando las oquedades y piedras sueltas que sirvieran de nido a las minúsculas «corales», que pese a no contar con más de veinte centímetros de largo contenían en sus vistosos cuerpecillos de brillantes franjas rojinegras tanto veneno, que podían matar a un hombre de la corpulencia del gomero a condición de atacarle del pecho hacia arriba, y debía estar atento igualmente a los temibles alacranes del tamaño de un dedo pero con tal cantidad de dolorosísima ponzoña concentrada en sus inquietantes anatomías, que sin ser mortal su mordedura, conseguía que su víctima aullara de desesperación durante días.

Pero únicamente una aburrida lechuza posada en una rama que colgaba sobre el abismo fue testigo de su llegada a la cima del acantilado y, por la expresión de sus desorbitados ojos, parecía estar preguntándose qué extraño monstruo era aquella cosa negra y sudorosa que se movía de noche con la paciencia de un estúpido «perezoso», tan silencioso como un puma, y dejando a su paso una nauseabunda pestilencia a mono putrefacto.

Al fin puso el pie en la auténtica selva de alta montaña, húmeda y caliente, agobiante y pegajosa, callada a ratos, como muerta, y escandalosa otros, como si todas sus criaturas decidiesen alborotarse de improviso, se internó en ella unos quinientos metros con las mismas precauciones con que trepó por la pared de rocas, y tras dejar el cadáver del mono junto a un copudo samán, buscó refugio bajo un espeso montón de helechos, acurrucándose de tal forma, que ni aun casi pisándole, hubiera conseguido nadie adivinar su presencia.

La pestilencia que emitía la bestia en descomposición enmascaraba su propio olor, y antes de quedarse dormido se colocó una rama entre los dientes, sujetándola con una liana a modo de bocado de caballo, pues de ese modo estaba seguro de que no roncaría ni su respiración sería tan fuerte como para delatar su presencia por fino que fuera el oído de los salvajes.

Durmió profundamente y pasado el mediodía abrió los ojos a un rayo de luz que había conseguido filtrarse por entre la maraña de hojas y ramas, pero aunque se sentía entumecido por la forzada postura, no hizo movimiento alguno, atento al más mínimo rumor, consciente de que aquél era el peor momento del día, pues no contaba con elementos de juicio como para abrigar la plena seguridad de que ningún enemigo rondaba por las proximidades.

Al cabo de un largo rato apartó con cuidado algunos helechos y estudió detenidamente los movimientos de las ardillas en las ramas más altas. Ellas sabían mejor que nadie lo que estaba ocurriendo en su territorio en todo momento, convirtiéndose en involuntarias vigías que alertaban del peligro a los habitantes de las zonas bajas, y eran siempre más de fiar que los escandalosos monos y papagayos que con frecuencia alborotaban sin razón lógica alguna, asustando gratuitamente a sus vecinos.

Estaban tranquilas. Iban y venían; saltaban de árbol en árbol, en vuelos a veces inauditos, y se las diría contagiadas de una imparable actividad que volvía loco a quien tratara de seguirlas con la vista, pero cada uno de sus velocísimos movimientos respondía a un estímulo concreto, y su nerviosismo era tan sólo el reflejo de su enérgico carácter sin estar motivado en apariencia por agentes externos.

Llegó por tanto a la conclusión de que ningún ser humano, puma, jaguar, «onza» o «tragavenados» rondaba por las proximidades y únicamente entonces decidió abandonar su escondite para trepar a una rama del samán y estudiar la espesa foresta circundante.

Aun sabiendo que se encontraba solo tardó varios minutos en bajar de nuevo a tierra, cavar un profundo agujero y defecar en él cubriendo cuidadosamente las heces hasta no dejar rastro, pero pese a tener el estómago totalmente vacío no comió ni bebió porque en las últimas semanas se había acostumbrado a no tener que hacerlo hasta la caída de la tarde.

Con estudiada paciencia se envolvió los pies en las toscas telas de algodón que guardaba para tal efecto en la mochila, se las sujetó con fuertes lianas, y emprendió la marcha monte abajo tras comprobar, satisfecho, que no dejaba huella humana alguna, sino tan sólo una extraña marca indefinible que ningún rastreador sería capaz de interpretar correctamente.

Pese a ello, de tanto en tanto daba un cómico salto para caer sobre un montón de hojas secas o un grupo de helechos, de tal forma que quien tratase de seguir tales marcas perdería un tiempo infinito en buscarlas por el bosque, preguntándose desconcertado a qué extraño ser podrían pertenecer.

A menudo giraba sobre sí mismo, y caminando de espaldas las borraba, pero no por ello dejaba de estar pendiente de los más mínimos ruidos de la selva o a la actitud de las ardillas, y había momentos en los que un atento espectador acabaría por preguntarse si había visto en verdad a un hombre, o era una sombra la que se deslizaba a través de la espesura, puesto que de improviso *Cienfuegos* desaparecía como si se lo hubiese tragado la tierra para no volver a hacer acto de presencia hasta casi una legua del lugar en que se había esfumado.

Declinaba la tarde y una suave bruma comenzaba a adueñarse del monte aferrándose a las copas de los árboles, cuando bruscamente el gomero se detuvo para ventear el aire como un perro de caza, puesto que olía a humo; un humo denso y acre, de madera húmeda, mezclado con un levísimo hedor a pelo chamuscado, y tras deslizarse poco más de un centenar de metros por entre la maleza, distinguió en un pequeño claro a media docena de guerreros acuclillados en torno a una hoguera, aguardando a que un «pécari», al que ni siguiera se habían molestado en despellejar, se achicharrara lentamente.

Los observó mientras las sombras se iban adueñando del paisaje, y le sorprendió descubrir en sus facciones e incluso en su forma de moverse o sujetar las armas —de las que no se separaban ni un instante— gestos que le recordaban a los feroces «caribes», y aunque los «cuprigueri» le habían asegurado que los «motilones» no eran devoradores de carne humana, su aspecto parecía indicar que por sus venas corría probablemente más sangre «caníbal» que «azawan», por lo que llegó a la conclusión de que en tiempos muy remotos debieron pertenecer sin duda a la misma familia.

Eran pequeños, parduscos y simiescos, no empleaban ni el más mínimo adorno, y las pinturas de vivos colores a que tan aficionados solían ser los aborígenes de otras regiones, había sido sustituida por una gruesa capa grisácea que les cubría incluso los cabellos, y resultaba evidente que de tan curiosa costumbre debía provenir su nombre original, ya que en dialecto «cuprigueri» la palabra «motilón» venía a significar: «hombre de ceniza».

Le repugnó la forma en que comían, como cerdos furiosos, gruñendo y eructando de continuo, y la simple idea de caer en sus manos le erizó los vellos de la nuca.

Cuando advirtió que estaban a punto de concluir su repelente festín volvió sigilosamente sobre sus propios pasos, pues sabía por experiencia que la mayor parte de los guerreros solían hacer una última ronda al oscurecer, y no deseaba correr el riesgo de que uno de aquellos salvajes, que tan perfectos conocedores de la jungla debían ser, se le pudiera aproximar a menos de quince metros de distancia.

Se impuso a sí mismo dar un enorme rodeo antes de continuar ladera abajo, pero muy pronto las tinieblas se adueñaron de aquella parte del mundo, y, al cabo de poco más de media hora, una especie de sexto sentido le obligó a detenerse al advertir cómo una fresca brisa le golpeaba el rostro.

Escuchó y no pudo percibir ni aun los más simples rumores de la selva; aspiró a fondo y descubrió que el aire no transportaba los perfumes lógicos de la floresta, por lo que permaneció largos minutos inquieto y desconcertado, decidiendo por último no dar un solo paso hasta que la primera claridad del alba acudiera en su ayuda.

Pasó la noche inquieto y con los sentidos alerta, y la llegada del nuevo día le demostró que ninguna precaución resultaba excesiva, puesto que a menos de cinco pasos de distancia se abría un ancho tajo cortado a cuchillo, y desde el que podían distinguirse las copas de los árboles doscientos metros más abajo.

A su izquierda, una amplia explanada conformaba una especie de mirador natural sobre el abismo, pero a pocos metros a su derecha, los árboles y la maleza invadían los bordes del precipicio de tal forma que la brusca caída le hubiera sorprendido por completo.

Comprendió que la noche se negaba a ser su aliada a la hora de atravesar sigilosamente el territorio de los feroces «motilones», puesto que aquella escarpada serranía —que vista desde arriba fingía no ser más que una monótona manta verdeoscura— ocultaba en su interior mil trampas en forma de estrechas fallas geológicas que hacían pensar en una arrugada y peluda piel cortada de norte a sur por una afiladísima navaja.

Cualquiera de esas fallas podía estar aguardándole en las tinieblas dispuesta a engullirlo, y debía agradecer a su buen sentido que aquel primer incidente le hubiera permitido comprender dónde se encontraba ahora el mayor de los peligros.

Hizo un esfuerzo tratando de recordar cuál había sido exactamente el itinerario que habían seguido durante el viaje de ida, y llegó a la conclusión de que en su deseo de evitar ahora los senderos ya trazados, se había desviado en exceso hacia el oeste, abandonando la que tal vez fuera única vía de acceso natural al «Gran Blanco» a través del territorio de los «motilones».

Con el paso del tiempo acabaría por convencerse de que tal apreciación era correcta, dado que mediada la mañana descubrió que había ido internándose en una especie de laberinto hecho de jungla de alta montaña, espesas neblinas y profundos barrancos de lisas paredes de granito por las que ni el más enloquecido macho cabrío se hubiera atrevido jamás a aventurarse.

La sola idea de volver sobre sus pasos se le antojó inaceptable, empecinándose en hallar una ruta que le permitiera continuar descendiendo hacia la costa, por lo que por segunda vez se vio obligado a pasar la noche muy cerca de un abismo consciente de que en caso de que alguna partida de guerreros merodease por las proximadades, sus oportunidades de salir con bien de la aventura eran escasas.

Le preocupaba especialmente la lisa verticalidad de unos farallones que contrastaban con los mil puntos de apoyo que solían ofrecer los acantilados de su isla natal, ya que —aun siendo más agrestes— las montañas de La Gomera resultaban sin embargo mucho más accesibles que aquellos acantilados pulimentados por un viento que parecía haberse entretenido en lijarlos siglo tras siglo en su intento por transformar la serranía de los aborrecidos «hombres de ceniza» en una auténtica fortaleza inexpugnable.

¿Pero se trataba en realidad de una fortaleza inexpugnable, o constituía más bien una especie de inmenso presidio?

Cabía hacerse tal pregunta, puesto que lo auténticamente difícil parecía ser abandonar el territorio, y a la vista de hasta qué punto se hallaba defendido por su frontera natural de poniente, el canario llegó a la conclusión de que aquélla debería ser sin duda una región escasamente vigilada.

Cayó en la cuenta entonces de que no había tropezado con ninguna de las macabras «orquestinas» de mondos cráneos que les dieran la bienvenida a la subida, y que ni el más mínimo rastro de sendero transitado había hecho su aparición en las últimas horas, por lo que quiso hacerse la ilusión de que sus enemigos no acostumbrarían adentrarse por aquellos olvidados y casi inaccesibles contornos de la extensa serranía.

La insoportable tensión a que se había visto sometido durante los últimos días remitió en buena parte, pese a lo cual procuró no confiarse, pues le constaba que aun sin el peligro que significaban los «motilones», la alta selva continuaba presentando suficientes problemas como para no arriesgarse a perder la concentración ni un solo instante.

Y es que tenía plena conciencia de que aquella martirizada y loca geografía constituía por el momento la peor de las amenazas, puesto que la espesa vegetación era capaz de prolongarse en ocasiones incluso más allá del borde del abismo, y debido a ello, se veía obligado a permanecer atento a cualquier detalle que le permitiese adivinar si entre un grupo de árboles y el siguiente podía ocultarse un profundo barranco.

A media tarde alcanzó un estrecho desfiladero que no le hubiera costado excesivo esfuerzo cruzar casi de un salto a condición de disponer de espacio para tomar impulso, pero calculó que salvarlo descendiendo y volviendo a subir por la pared contraria a riesgo de romperse la cabeza, le exigiría por lo menos dos días de inauditos esfuerzos y peligros.

—¡La puta que lo parió! —mascculló entre dientes—.

O me crecen alas, o empiezo a temer que aquí me quedo para siempre.

Era aquélla en verdad tierra de águilas y cernícalos, pues las rapaces parecían ser las únicas bestias capaces de sentirse a gusto en el corazón de tan accidentada orografía, y en ocasiones podía distinguir sus anchos nidos en los escasos salientes de los escarpados farallones, tan inaccesibles, que ni la más hambrienta de las serpientes se aventuraría en busca de polluelos.

Al amanecer del cuarto día descubrió sorprendido que la mochila que le había servido de almohada aparecía húmeda de sangre, y cuando trató de ponerse en pie experimentó un leve vahído que a punto estuvo de hacer rodar su enorme anatomía por los suelos.

Pasó el resto de la jornada inquieto y desasosegado fatigado en exceso, abatido, y atacado de una incomprensible apatía impropia de su carácter, lo que motivó que vagara por la espesura sin rumbo fijo, siguiendo mecánicamente la sinuosa línea de las infinitas quebradas, ajeno la mayor parte del tiempo a cuanto le rodeaba, e inmerso en una especie de invencible sopor que le sumía en la impotencia.

A media tarde, una desmesurada tormenta estalló justo sobre su cabeza, los rayos parecieron buscarle abatiendo a su alrededor los más altivos «paraguatanes» y una lluvia torrencial y furiosa provocó tal estruendo al golpear contra las hojas de los árboles, que hubo un momento en que tuvo que llevarse las manos a los oídos para no quedar sordo.

Fue entonces cuando se descubrió una pequeña costra de sangre en el lóbulo de la oreja, preguntándose si sería posible que tan minúscula herida hubiese provocado una hemorragia capaz de empapar de tal forma la mochila.

Los rayos se alejaron lentamente hacia el norte, pero el violento chaparrón continuó cayendo como si más que a cielo abierto se encontrara bajo una gigantesca catarata, sin amainar ni un solo instante hasta muy entrada la mañana del día siguiente, debido a lo cual *Cienfuegos* recordaría aquella noche como una de las más inclementes de cuantas había sufrido a lo largo de su difícil existencia, sin que nunca llegara a saber hasta qué punto aquel agua le había salvado la vida.

Y es que sin tener la más mínima noción del riesgo que corría, el gomero se había ido internando durante aquellos días en una de las regiones del continente más abundante en los temibles murciélagos-vampiros (1), que eran los que por la noche le atacaban mordiéndole el lóbulo de la oreja y extrayéndole de golpe más de un litro de sangre.

El principal peligro de aquella particularísima especie endémica del Nuevo Mundo —dejando a un lado el hecho de que con frecuencia transmitieran la rabia— estribaba en el hecho de que, pese a no ser apenas mayores que un ratón, las especiales características de su estómago les permitía chupar sangre e ir expulsándola por el ano al mismo tiempo, lo que hacía que cada uno de sus festines se transformara en una auténtica sangría capaz de acabar con un animal pequeño en una noche, o con un ser humano en tres o cuatro.

Tal vez un hombre tan vigorosamente constituido como *Cienfuegos* hubiera logrado sobrevivir a nuevos ataques, aunque en tal caso probablemente la debilidad le hubiese impedido dar al día siguiente un solo paso, quedando con ello a merced de continuas sangrías que concluirían por apagar su vida al igual que una lámpara se consume cuando le privan del aceite.

Papepac nada le había advertido en su día sobre vampiros de selvas de alta montaña, puesto que en la jungla costera no abundaban, y el canario jamás hubiera sido capaz de sospechar por sí mismo una presencia que tan sólo se pone de manifiesto cuando la víctima se encuentra profundamente dormida.

Raramente suele ocurrir —salvo en el caso de encontrarse en un caso de rabia terminal— que un murciélago hematófogo intente agredir a un animal despierto, y en el momento de hacerlo acostumbra inyectar a través de sus afiladísimos colmillos un eficaz anestési-

1. *Desmodus rotundus. (N. del A.)*

co que le permite alimentarse luego con absoluta impunidad.

La gran cantidad de sangre perdida durante las dos primeras noches, era la razón por la que el canario se sentía tan anormalmente agotado, y tal vez en aquel punto y lugar hubiesen acabado sus andanzas de no haber llovido de forma torrencial impidiendo a sus atacantes volar libremente, dado que la masa de agua que caía a modo de cortina tenía la virtud de rechazar los ultrasonidos por los que acostumbran a guiarse.

Una especie de sexto sentido hizo comprender no obstante al isleño que corría un serio peligro al continuar por aquellos parajes, atribuyendo su malestar al aire que respiraba o al continuo ataque de que le hacían víctima las nubes de mosquitos, por lo que al amanecer del día siguiente, y pese a que el agua continuaba siendo la única dueña del mundo, optó por bajar a lo largo de uno de aquellos impresionantes farallones consciente de que corría el riesgo de precipitarse al vacío o quedar atrapado para siempre en mitad del abismo.

Tan sólo una cabra montés o un pastor gomero contaban con una mínima posibilidad de salir con bien de semejante empeño, pues el precipicio que se abría bajo sus pies atraía de tal forma, que cualquier hombre o animal menos acostumbrado a las alturas, se hubiera dejado atrapar por el vértigo sin plantear batalla.

Durante el dificilísimo descenso perdió la hamaca, la mochila e incluso la mayor parte de sus armas, que se estrellaron contra las copas de los árboles, logrando salvar a duras penas el afilado cuchillo que constituía desde siempre su más preciada pertenencia, y cuando al oscurecer alcanzó el fondo de la quebrada, miró hacia lo alto y se asombró de no estar muerto.

Lo primero que hizo el Capitán Alonso de Ojeda al desembarcar en Sevilla a finales de 1498, fue visitar a su amigo y protector, el Obispo Juan de Fonseca, «Consejero Real para Asuntos de Indias», solicitando apoyo para su largamente acariciado proyecto de organizar una expedición allende al océano en un intento por demostrar que las teorías tan empecinadamente defendidas por el Almirante eran falsas, y no se encontraban a las puertas de Cipango y el Catay, sino más bien a las puertas de un continente desconocido que la Corona española estaba llamado a bautizar, conquistar y dominar.

Fonseca se mostró en un principio reticente a aceptar semejante hipótesis, no porque confiase ciegamente en Colón, sino porque en cierto modo le asustaba la terrible responsabilidad que significaba para la incipiente nación que acababa de salir de una larguísima guerra de reconquista, enfrentarse a la titánica tarea de fundar un imperio a miles de leguas de la metrópoli.

—Lo que necesitamos —dijo— es una ruta segura que nos permita aproximarnos a Asia, y que el intercambio comercial nos convierta en una potencia económica. Embarcarnos en aventuras bélicas nos retrasaría con respecto al resto de Europa y nos desangraría una vez más. Soñemos con una paz que nos consolide y no con guerras que nos delibiten y arruinen.

—Yo creo por el contrario, Eminencia, que debemos dejar el comercio a genoveses y venecianos, que de eso entienden —replicó con cierta aspereza el de Cuenca—. Lo nuestro, nos guste o no, serán siempre las armas, y además, no soy yo quien hizo grande el mundo, sino el Creador. Si Él puso ese continente en nuestro camino, por algo será.

—¿Tan convencido estás de su existencia?

—Tan sólo quien desee permanecer sordo y ciego a lo que se puede ver y oír, continuará negándolo —replicó el pequeño Ojeda con firmeza—. He pasado estos años interrogando a los indígenas de «La Española» y las islas vecinas, y sus respuestas coinciden: al sur se inicia una tierra inmensa y caliente con altísimas montañas y espesas selvas; al oeste no hay salida, y al norte, más allá de Cuba, comienzan las grandes llanuras de las que nadie vuelve. Y jamás oyeron hablar del Gran Kan ni de Cipango.

—A la Reina no va a gustarle la noticia.

—Un vasallo muestra mejor su fidelidad dando una mala noticia que admitiendo una falsa.

—¡Pero el Virrey asegura...!

—¡El Virrey, el Virrey! —se impacientó el conquense—. El Virrey jamás fue un auténtico vasallo, sino tan sólo un mercenario que se vendió al mejor postor. Si en Lisboa le hubiesen concedido lo que pedía, ahora serían los portugueses los que estarían allí, y no nosotros. Lo único que le preocupa es su propio provecho y sus prebendas.

—Eso suena a traición, Alonso.

—¿Traición? —se asombró el otro—. ¿Traición a quién, Eminencia? Jamás juré fidelidad a los Colón; tan sólo a sus Majestades, y a ellos debo rendir cuentas de mis palabras y mis actos. Y sus intereses son los que en este caso defiendo. Continuar ocultando lo que sé, sí sería en justicia auténtica traición.

—¿Quién más te apoya?

—Todo aquel que conoce la región y tiene dos dedos de frente. En especial «Maese» Juan de La Cosa, que como bien sabéis, es un magnífico navegante y excelente cartógrafo.

Se diría que la sola mención del piloto de Santoña que tenía en verdad justa fama de ser uno de los hombres que mejor conocían la «Mar Océana» y las tierras que la circundaban impresionaba al Obispo Fonseca, que como «Consejero Real» tenía la obligación de saber quién era cada quién en aquella compleja y ambiciosa aventura marinera a la que una nación forjada por recios caballeros castellanos y aragoneses poco amigos del agua parecía dispuesta a precipitarse.

—Tú eres de Cuenca —musitó al fin, al tiempo que hurgaba bajo la manga a la búsqueda de una pulga escurridiza—. Y poca confianza me merecen tus juicios sobre islas y mares —carraspeó una y otra vez, pues parecía tener siempre reseca la garganta—. Pero las opiniones de «Maese» Juan de La Cosa me interesan. ¿Por qué no vino él mismo a exponérmelas?

—Porque Colón le hizo firmar, amenazándole con una terrible multa y cortarle la lengua, que las costas de Cuba eran las de Cipango, pero en cuanto se divisó a proa el cabo norte, lo que hubiera dejado claramente establecido que se trataba de una isla y no del continente asiático, mandó virar en redondo. ¿Creéis en verdad que ésa es una forma lógica de comportarse para un Virrey en quien sus monarcas han depositado toda su confianza?

—Puede que tenga sus razones.

—No existe razón alguna que justifique su actitud y sus mentiras, y yo os aseguro que más de la mitad de cuanto dice suele ser falso.

—¡Alonso...!

—¡Monseñor...! —El diminuto capitán clavó la rodilla en tierra y extendió la mano apoderándose del gran crucifijo que su protector hacía descansar en esos momentos sobre su regazo—. Vos me bautizasteis —dijo—. Y me inculcasteis la profunda devoción que siento por la Virgen, lo que me ha dado fuerzas para enfrentarme a mil peligros... ¿Imagináis que podría mentiros en algo de tanta importancia? —Se puso de nuevo en pie casi de un salto y paseó impaciente por la amplia estancia, austera y fría, del palacio arzobispal—. Portugueses, franceses, holandeses, turcos y venecianos parecen buitres al acecho, decididos a lanzarse sobre ese Nuevo Mundo en cuanto nos descuidemos, pero hemos dejado la única llave que abre esa puerta en manos de un extranjero que ha demostrado estar dispuesto a venderse al mejor postor. Los Reyes no quieren comprender lo que ocurre, pero vos sois su mejor consejero: ¡Aconsejadles!

—¿Dónde está «Maese» Juan de La Cosa?

—En el Puerto de Santa María.

El arcediano Fonseca, acostumbrado a juzgar a los hombres desde antes de haber tomado los hábitos, concluyó por hacer un leve gesto de asentimiento y señalar:

—Id por él.

Alonso de Ojeda, no se hizo repetir la orden, por lo que esa misma tarde alquiló el más veloz de los caballos andaluces para emprender casi al galope el sinuoso camino que, Guadalquivir abajo, habría de conducirle en poco menos de una jornada de viaje al tranquilo retiro de su buen amigo el piloto de Santoña en el Puerto de Santa María.

«Maese» Juan de La Cosa le recibió con los brazos abiertos, pues no en vano habían pasado inolvidables momentos juntos allá en «La Española», pero se mostró especialmente cauto cuando tuvo conocimiento de la auténtica razón de la visita.

—Le juré al Almirante no volver a tratar jamás dicha cuestión —señaló—. Él es el Virrey y si se empeña en que Cuba es China allá él.

—Pero jurasteis bajo coacción, ¿no es cierto?

—Aunque así fuera, firmé que lo aceptaba. ¿Cómo podría desdecirme ahora de lo que dejé por escrito?

—Recurriendo a vuestra conciencia de buen castellano, buen navegante y buen vasallo. ¿Os dais cuenta de lo que está en juego debido a la tozudez de un solo hombre?

—Me doy cuenta, y por eso mismo he decidido mantenerme al margen en esta malhadada empresa. —Llenó hasta los bordes dos vasos de un suave vino blanco del que solía ser generoso consumidor cuando se encontraba en tierra firme, y añadió con evidente amargura—: Lo que nació como una hermosa aventura a la que todos queríamos colaborar por el bien de Castilla, ha acabado por convertirse en un turbio negocio del que tan sólo unos cuantos mercachifles obtienen provecho, y eso es algo que ya no me interesa. El mejor barco que jamás tuve, *la Marigalante*, se quedó para siempre en aquellas costas, y tan sólo con la muerte de mi hijo sufrí tanto como cuando vi cómo lo desguazaban para convertirlo en aquel nefasto «Fuerte de La Natividad». —Bebió largamente y tras limpiarse con el dorso de la mano negó una y otra vez mientras su voz aumentaba más aún su tono pesimista—. No me gustaría volver a involucrarme en algo que repugna mi conciencia. Yo soy piloto, no un intrigante cortesano.

—Tampoco yo he sido nunca un intrigante cortesano —le recordó el de Cuenca—. Pero se me antoja que dejar el futuro de aquellas tierras y aquellas gentes en manos de quienes sí lo son, es casi un delito de lesa traición.

—Ya estoy viejo para luchar.

—La verdad no tiene edad, y lo único que se os pide es que la contéis.

—¿Y a quién le interesa?

—A todos. —Ojeda extendió la mano y la colocó con afecto sobre el antebrazo de su amigo impidiéndole que bebiera de nuevo—. No conseguiréis ahogar vuestra conciencia en ese vaso. No es lo bastante grande. Tan sólo os pido que me acompañéis a Sevilla y habléis con el Obispo. Contadle lo que visteis y no visteis durante vuestros viajes. Con eso basta.

—¿Os parece poco? Me jacto de ser el hombre que más tiempo ha pasado junto al Almirante sobre un puente de mando, y creo saber mejor que nadie lo que pasa por su cabeza en cada instante. Soy, también, quien permaneció a su lado cuando se hundió en aquella especie de larguísimo sueño del que creímos que jamás despertaría. Deliró durante horas, y no os miento al aseguraros que a la larga llegué a encontrarle un sentido a sus desvaríos. Conozco su alma y sus secretos, pero no sería honrado por mi parte hacer uso de lo que averigüé de un hombre que se hallaba a las puertas de la muerte.

—¿Ni por el bien de Castilla?

—Castilla puede sobrevivir sin tales secretos, pero

yo no creo que pudiera hacerlo sin sentirme en paz con mi conciencia.

—No habléis entonces de los secretos de Colón. Haced referencia únicamente a lo que pudisteis descubrir por vos mismo como el mejor de los marinos norteños.

—¿Sólo norteños? —inquirió el otro cómicamente ofendido—. ¿Acaso consideráis que alguno de estos andaluces parlanchines o un mallorquín del demonio me supera?

—Nadie os supera ni aun en cabezonería —fue la respuesta—. ¿Nos vamos?

«Maese» Juan de La Cosa indicó con un leve ademán de cabeza a la enlutada mujer, que tendía ropa al fondo del patio, entre dos altos árboles:

—Al volver de mi último viaje le prometí que envejeceríamos juntos y que descansaríamos para siempre en la misma tumba. Ha pasado sola la mayor parte de su vida, mientras yo vagaba por esos mares de Dios sin saber jamás si volvería. No sería justo abandonarla nuevamente.

—Sevilla está tan sólo a unas horas a caballo.

—Sabéis bien que Sevilla tan sólo sería la primera etapa de un nuevo y largo viaje.

—Nadie os pide tal cosa.

El de Santoña sonrió para sí mismo con una especie de profunda nostalgia.

—Nadie, en efecto. —Se volvió a mirarle de una forma extraña, casi enigmática—. Nunca me gustó montar a caballo —dijo—. Buscadme un carromato...

Apenas penetraron en su recámara, el Obispo Fonseca rogó a su protegido que se fuera a pasear por la orilla del río mientras él mantenía una larga charla con el piloto santanderino, y aunque ninguno de los dos le contó nunca al de Cuenca lo tratado en semejante entrevista, lo cierto fue que el anciano eclesiástico les indicó que se pusieran en contacto con el banquero Juanoto Berardi, al que sabía interesado en organizar una expedición a «Las Indias» en cuanto iniciara su andadura la pragmática publicada en 1495 por los Reyes concediendo libertad de navegación a los marinos españoles.

Pero cuando, a media tarde del siguiente día, Alonso de Ojeda y Juan de La Cosa llamaron a la puerta de un viejo caserón del típico barrio de Triana, no podían ni siquiera imaginar que la casual elección de la hora habría de tener tan importantes consecuencias, y habría de dar pie a una de las mayores injusticias de la historia de la Humanidad.

Les franqueó la entrada un individuo flaco, de nariz aguileña y cómico acento en el que se entremezclaban palabras italianas y francesas con un andaluz de baja estofa, y que se mostró impresionado ante la identidad de los caballeros que se presentaban a sí mismos.

—¿Alonso de Ojeda y Juan de La Cosa? —repitió incrédulo—. ¿Los auténticos?

Se miraron perplejos.

—Supongo que sí —replicó humorísticamente el primero—. Y no creo que nadie se molestara en tratar de falsificar productos de tan escasa aceptación.

El desconocido, que despedía un penetrante y personalísimo olor a jazmín, mezclado con sudor y viejos guisos, les invitó ceremoniosamente a pasar, indicando que «Su Excelencia il Signore Juanoto Berardi» no se encontraba en casa, pero que a él personalmente le produciría un gran placer que se acomodasen en el amplio y florido patio con el fin de esperarle compartiendo una jarra de buen vino o una fresca limonada.

—Vino, desde luego —fue la rápida respuesta del de Santoña—. ¿Tardará mucho «Il Signore Berardi»?

—Eso depende de que Carmela la *Bronca* tenga o no clientes —sonrió el otro con picardía—. Si la encuentra libre, mi patrón suele ser anormalmente rápido, pero en el caso de que el lugar esté ocupado la cosa cambia.

Desapareció unos instantes en el interior de la enorme vivienda, para regresar con un barrilete y tres jarras que llenó con exquisita delicadeza al tiempo que señalaba con manifiesto entusiasmo:

—Mentiría si dijera que en este caso particular ruego para que la Carmela esté haciendo un buen negocio y se retrase, pues jamás hubiera podido soñar con la oportunidad de disfrutar de un rato de charla con tan ilustres navegantes... —Sonrió amistosamente—. ¿Os sorprendería si os dijera que la auténtica pasión de mi vida son los viajes y la cartografía? Aquí donde me veis, de humilde amanuense de banca, en el fondo de mi corazón habita un cosmógrafo. Mi sueño sería emular vuestras hazañas.

—Soñáis en exceso, pero a fe que jamás existió sueño más fácil de realizar —señaló «Maese» Juan no sin cierta ironía—. El puerto rebosa de naves que parten hacia los cuatro puntos cardinales y todas precisan gente animosa y dispuesta a ver mundo.

—Pero ninguna acepta cartógrafos que se marean, ni geógrafos de libro. Buscan rudos marineros que tiren de un cabo, no pensadores.

—Razón deben tener, puesto que la auténtica geografía tan sólo se aprende sobre la cubierta de un navío.

—Perdonad si os contradigo —respondió con marcada amabilidad el hombre que hedía a sudor y jazmín—. Pero en ciertos casos, alguien que estudia las cosas sin el apasionamiento de quien las vive, puede llegar a conclusiones que se aproximan con mayor exactitud a la realidad. —Bebió de su jarra con cortísimos sorbos y añadió—: Tomad, por ejemplo, al Almirante; no cabe duda de que ha visto mucho, pero en mi humilde opinión no siempre demuestra haber sabido verlo.

—¿A qué os referís? —intervino Ojeda, interesado.

—A su actitud intransigente. Afirma haber alcanzado las costas de Cipango, cuando según todos los cálculos aún no debe haber recorrido ni la mitad del camino.

—¿Quién lo afirma?

—Cuantos se detienen a reflexionar sobre los hechos. Por eso me interesa tanto vuestra opinión: ¿Estáis convencidos de haber llegado a los dominios del Gran Kan?

Era la eterna pregunta, pero en este caso el amanuense de Juanoto Bernardi sabía plantear —esa y otras muchas cuestiones— con habilidad y diplomacia, exponiendo al propio tiempo puntos de vista que sin ser del todo originales, demostraban que había estudiado mucho y que su declarada pasión por la cosmografía respondía a una realidad incuestionable, ya que podía recitar de memoria párrafos enteros de Tolomeo e incluso dibujar sobre la mesa, sin más ayuda que su dedo y un poco de vino, el perfil de islas y costas escasamente conocidas.

La discusión fue larga; tan larga como debió ser la «ocupación» de Carmela *la Bronca*, y cuando al anochecer hizo su aparición el orondo dueño de la casa, se sorprendió vivamente al descubrir que parecía haberse convertido en la sucursal de una taberna en la que su hombre de confianza y un par de desconocidos se hallaban enzarzados en una acalorada disputa a cuyo ardor debían contribuir notablemente dos de sus mejores barriles de amontillado.

—¿Qué ocurre aquí? —quiso saber—. ¿A qué viene tanto alboroto?

—No es alboroto, Excelencia —señaló su empleado—. Es un simple intercambio de opiniones sobre el perímetro de la Tierra. El caballero y yo diferimos en poco más de tres mil leguas.

—¿El diámetro de la Tierra? —se sorprendió el buen hombre—. ¿Y a quién puede interesarle semejante tontería?

—A vos —fue la divertida respuesta del achispado Ojeda apuntándole con su jarra—. Cuanto más pequeño sea, antes regresaremos con vuestro cargamento de oro, clavo y canela.

—¿Oro, clavo y canela? —repitió el gordo Berardi, sinceramente interesado, mientras se apoderaba de un jarro y bebía con largueza—. ¿Y quién dice que sean míos?

—Lo serán desde el momento que arméis tres naves y las pongáis en mis manos.

—¿Y quién sois vos, si puede saberse? ¿Cristóbal Colón, Alonso, Niño, Juan de La Cosa, Vicente Yáñez Pinzón, o quizás Alonso de Ojeda?

—¡Ahí...! ¡Ahí le duele! —rió a carcajadas el de Cuenca, echándose hacia atrás en su silla a punto de caer y desnucarse—. El último que habéis nombrado. Y aquí, el que se tambalea, Juan de La Cosa.

El gordinflón, que también olía levemente a jazmín,

aunque entremezclado en esta ocasión con un denso «pachulí» de ramera barata, pareció desconcertarse unos instantes, pero al fin dejó con extraña suavidad el jarro sobre la mesa, e inquirió en tono de manifiesta incredulidad:

—¿Ojeda y de La Cosa? ¿Los auténticos?

—¡Voto a...! —exclamó el de Santoña divertido aunque tartamudeante—. ¿Por qué todos preguntan lo mismo? ¿Tan importantes somos?

—Para mí sí. ¿Os envía el Obispo?

—El mismo.

—¿Os expuso mis condiciones?

—Tan sólo insinuó que estabais interesado en aparejar navíos que fueran a buscar oro y especias a «Las Indias». ¿Lo estáis realmente?

—Eso dependería de quién los tripulase.

Alonso de Ojeda alzó de nuevo su jarra y señaló con ella al santanderino:

—¿Os agradaría que fuese el mejor piloto de la Mar Océana?

«Maese» Juan de La Cosa aventuró a su vez una cómica reverencia con la que corrió el riesgo de girar sobre sí mismo para ir a dar con sus huesos en el suelo, e hizo luego un ampuloso gesto, alargando la mano abierta hacia el de Cuenca:

—¿Acompañado por el más valiente Capitán de los ejércitos de sus Majestades?

Resultó evidente que al banquero le fascinaba la proposición, aunque no podría decirse lo mismo de la forma en que había sido hecha, pues los dos hombres habían trasegado ya tanto vino que se encontraban, sin duda, mucho más cerca de la total inconsciencia que de la plena realidad.

Pese a ello tomó asiento a horcajadas sobre la silla que encontró más a mano para observar alternativamente a sus dos inesperados huéspedes, como si estuviera tratando de discernir hasta qué punto su personalidad y sus palabras eran ciertas.

—No me agrada la idea de confiar mis naves a borrachos —dijo al fin.

—Jamás mezclo el agua con el vino —hipó Juan de La Cosa—. La jarra que en tierra a menudo te salva, en la mar siempre te pierde... —Alzó el dedo, fue a añadir algo más, pero de improviso se desplomó como un saco y comenzó a roncar sonoramente.

Juanoto Berardi lo observó con disgusto; se volvió luego al de Cuenca, que parecía a punto de imitar a su amigo, y tras beber de nuevo alzó el rostro hacia su amanuense.

—¡Vespucci! —ordenó secamente—. Acomode a estos caballeros en el dormitorio de invitados. —Luego señaló con gesto acusador los vacíos barriles—. Y por cierto, Amérigo: el segundo corre de su cuenta.

Amaneció con el pie izquierdo inflamado.

Intentó alzarse, pero al instante dejó escapar un rugido de dolor para caer redondo mientras un sudor frío le empapaba por completo.

Se concedió a sí mismo un tiempo prudencial para tranquilizarse y se palpó por fin el punto dolorido para descubrir que un profundo arañazo en el talón se había infectado y la hinchazón interesaba el pie y gran parte de la pantorrilla.

—¡Lo que faltaba! —masculló—. Además de puta, coja.

Pero tenía constancia de que no era cuestión de tomárselo a broma, puesto que una infección incontrolada en plena jungla solía ser infinitamente más peligrosa que un jaguar, una anaconda o los bestiales «motilones», dado que contra todos ellos cabía luchar a condición de tener valor y medios, mientras que contra el desconocido veneno que se le había metido en el cuerpo no existían por lo general grandes defensas.

Le ardía la frente y le asaltó un escalofrío.

Se arrastró unos metros, eligió la liana oportuna, y cortando un largo trozo aguardó con el extremo inferior dentro de la boca a que un agua fresca, burbujeante y casi carbonatada, aplacara una sed que comenzaba a volverse insoportable.

Por último, apartó de un manotazo las hormigas que lo plagaban, se recostó en el tronco de un árbol y cerró los ojos en un decidido esfuerzo por ordenar sus confusas ideas.

Una vez más, como siempre que se encontraba con

problemas en el bosque, buscó en su memoria los consejos del diminuto *Papepac*, convencido de que era el único ser sobre la superficie del planeta capaz de proporcionarle una respuesta.

El arañazo ofrecía un pésimo aspecto, pero rechazó de inmediato la posibilidad de cauterizarlo con una brasa al rojo, pues no parecía ser aquélla una herida limpia en las que el poder del fuego lo soluciona todo, visto que la ponzoña se había ido extendiendo como los tentáculos de un pulpo.

—¡Mierda!

El indígena le había advertido en su momento de que aquél era un contratiempo con el que pronto o tarde acababan por enfrentarse la mayoría de los habitantes de la espesura, ya que nadie era capaz de reconocer a simple vista cuál de las infinitas zarzas que conformaban el monte bajo escondía entre sus espinas la amarillenta savia que provocaba tan dolorosas y pestilentes supuraciones.

Se lo había advertido, en efecto, pero, ¿cuál le había indicado que era el remedio?

Se sumió en un profundo sopor sin recordarlo.

Y soñó con *Azabache*.

La negra le llamaba quedamente, invitándole a reunirse con ella en un lugar en el que los miedos, las fatigas y el hambre daban paso a una dulce sensación de abandono en el que todo se convertía en un flotar sin rumbo, y el isleño le rogó que le mostrara el camino, pues comenzaba a sentirse fatigado de vagar eternamente.

Soñó con Ingrid, que no era ya más que un punto borroso que se perdía en la distancia en compañía de un hombre cuya figura le resultaba familiar, y soñó, por último, con su Excelencia el Almirante Don Cristóbal Colón, que le observaba con su eterno ceño fruncido y su adustez de siempre.

Deliraba, y en su delirio dio gritos que atrajeron la atención de algunos monos que observaban sorprendidos a la gigantesca bestia peluda que resultaba, no obstante, tan increíblemente inofensiva que les permitía que se sentaran sobre sus hombros con intención de despiojarle.

El dolor le obligó a abrir los ojos cuando el sol se encontraba en su cenit, y una especie de milagrosa revelación le permitió recordar al fin cuál era el remedio que su minúsculo amigo le aconsejó en su día que utilizara en tales circunstancias.

Buscó con la vista a su alrededor, se arrastró como buenamente pudo apretando los dientes para no aullar de dolor, y bajo un montón de hojarasca al pie de un álamo centenario descubrió al fin el hongo que con tanta urgencia estaba necesitando. Raspó con sumo cuidado la corteza, aplastó el resto hasta convertirlo en una pasta a la que confirió consistencia con un poco de barro, y aplicó la masa resultante sobre la herida cubriéndola con dos grandes hojas que sujetó con lianas.

Por último, se sumió de nuevo en la inconsciencia.

Fueron tres largos días de angustia, sufrimientos y una modorra irresistible de la que llegó a creer que no lograría recuperarse.

No obstante, la extraña pócima, y sobre todo su portentosa fortaleza obraron el milagro de permitirle salir con bien de la primera auténtica enfermedad de toda su vida, pese a lo cual la lógica convalecencia resultó tan pesada y deprimente, que cuando consiguió al fin reemprender el camino, lo hizo sin tomar precauciones, indiferente al hecho de que los salvajes o una fiera de la espesura remataran la tarea que las fiebres dejaran inconclusa.

Ya no era un luchador infatigable, decidido a sobrevivir a toda costa por amor a una mujer que le esperaba muy lejos, sino tan sólo una especie de ánima en pena que deambulaba por el bosque ajeno a cuanto pudiera tenerle reservado el destino.

La visión de Ingrid alejándose entre la bruma en compañía de un hombre se le había antojado tan auténtica, que decidió que a partir de aquel momento intentaría no volver a pensar más en ella. Había pasado demasiado tiempo, y como bien decía la negra ninguna mujer aguardaba a un hombre tantos años.

Le invadió una profunda laxitud al comprender que no existía ya razón alguna para regresar al que fuera su mundo, y le deprimió más aún que su manifiesta debilidad el hecho de convencerse a sí mismo de que se había convertido en un paria que no contaba ya ni con el recuerdo de una mujer al que aferrarse.

Continuó, por tanto, su interminable travesía de la agreste serranía sin preocuparse poco ni mucho de con quién pudiera tropezarse en su camino, y fue así como, aún cojeante, desembocó una semana más tarde en un amplio claro del bosque en el que descubrió a una especie de arrugadísima momia desdentada que permanecía sentada bajo un árbol tan impasible como un ídolo de piedra que hubiera resistido a la intemperie el paso de los siglos.

Los pechos le colgaban hasta la cintura, no era más que apenas piel y huesos con un ralo mechón de pelo estropajoso bailándole sobre un cráneo grisáceo y mondo, y sus manos, como garras, lucían unas uñas tan duras y afiladas que hubieran conseguido abrirle las tripas a un ser humano a condición de contar con las fuerzas necesarias.

Su sexo destacaba como una especie de cavidad abominable y repelente, y sus ojos —diminutos— refulgían con tales destellos de astucia, que hacía daño mirarlos.

—¡Acércate! —fue lo primero que dijo en cuanto le vio aparecer, utilizando una mezcla de dialecto «caribe» salpicado de palabras «cuprigueri»—. Llegas con retraso.

—¿Me esperabas?

—Desde la luna nueva.

—¿Acaso eres vidente?

—Acarigua todo lo ve, todo lo oye y todo lo puede.

El canario se acuclilló frente a ella y la observó interesado.

—¿Una hechicera? —inquirió, y ante el silencio que interpretó como muda aceptación, añadió—: ¿«Motilona»?

—Nací entre los «chiriguanas» pero los «motilones» me raptaron y les di muchos hijos hasta que me vendieron a los «pemeno», a los que di muchos hijos más. Luego los «pemeno» me devolvieron a los «chiriguana», que renegaron de mí. —Su voz era ronca, profunda y rencorosa—. Ahora ya no pertenezco a ningún pueblo.

Cienfuegos hizo un significativo gesto con las manos señalando a su alrededor:

—¿«Motilones»? —quiso saber.

La vieja momia asintió apenas:

—«Motilones». Pronto estarás muerto.

—¿Y tú?

—Yo soy Acarigua. Me temen. Voy y vengo.

—Entiendo... Una vieja hechicera suele tener el paso libre. ¿Puedes ayudarme?

—¿Por qué habría de hacerlo? —replicó la horrenda mujeruca con absoluta naturalidad—. No eres ni mi hijo ni mi nieto... ¿A qué tribu perteneces?

—Soy gomero.

La otra le observó de arriba abajo con manifiesto interés, ya que probablemente jamás había visto un hombre de semejante tamaño y fortaleza, acabando por asentir con gesto aprobatorio.

—Grandes los gomeros —señaló—. Y fuertes. ¡Lástima no haberlos conocido antes! ¿Dónde habita tu tribu?

—Más allá del mar.

—¿Con los «cuprigueri»? ¿Con los «caribes»? ¿Con los «picabueyes»? —Ante las sucesivas negativas acabó lanzando un escupitajo de una especie de verde yerba que mascaba continuamente con sus cuatro únicas muelas, lo que confería a su espantosa boca el aspecto de la renegrida entrada de un horno de pan que se moviera sin parar—. ¡No importa! —dijo—. Ninguna tribu es buena. Te obligan a trabajar y darles hijos, y cuando se cansan de ti, te venden... —Hizo un gesto a su alrededor como queriendo señalar el conjunto de la espesura que les circundaba, y añadió—: Acarigua vive ahora en la selva. Las bestias son sus amigas.

—¿No tienes miedo?

—Ningún animal haría nunca daño a Acarigua, la que todo lo puede.

—¡Ya...! ¿Y no pasas hambre?

Sus afiladísimas uñas se introdujeron en una especie de larga calabaza que cargaba a la espalda y mostró un manojo de hojas anchas y cortas aparentemente idénticas a cualquiera de las muchas otras hojas que podían encontrarse entre la maleza.

—Con el «jarepá» Acarigua no pasa hambre, sed, frío, calor, fatigas, ni enfermedades... —Se echó el puñado a la boca y comenzó a rumiar oscilando de un lado a otro la mandíbula inferior como si se tratara de una vieja cabra—. El «jarepá» es el don que envían los dioses a sus elegidos, porque sólo sus elegidos sabemos encontrarlo.

—¡Pamplinas!

—¿Cómo has dicho?

—¡Pamplinas! —repitió el isleño convencido—. Es una palabra del dialecto de mi tribu que significa tonterías. No existe nada capaz de servir para todas esas cosas.

—Existe y aquí está —insistió la anciana segura de sí misma—. Acarigua apenas se alimenta de otra cosa.

—¡Así te luce el pelo! Tienes menos carne que el ojo de una aguja... —Se encogió de hombros—. Bueno: no creo que lo entiendas, pero la verdad es que eres una de las criaturas más estrafalarias con que he tropezado en este mundo, y a fe que ya abundan en exceso. —Se puso en pie decidido a continuar su camino y aventuró un leve gesto de despedida con la mano—. ¡Bien! —añadió—. Ya que no me necesitas, me voy.

—No puedes.

—¿Por qué?

—Porque eres esclavo de Acarigua.

Lo había dicho con tanta naturalidad y sin mover un músculo que *Cienfuegos* experimentó una especie de desagradable e inquietante presentimiento.

—¿Tu esclavo? —inquirió al fin esforzándose por contener su indignación—. No eres más que una vieja loca a la que podría partir en dos con una mano. Si te tiro un pedo te estrello contra un árbol.

—Es posible, pero a no ser que aceptes convertirte en esclavo de Acarigua, eres hombre muerto.

—¿Ah, sí? ¿Y quién va a matarme: tú con tu magia?

Acarigua, la hechicera que todo lo veía, todo lo oía y todo lo podía, negó con la cabeza al tiempo que lanzaba un nuevo salivazo verdoso que salpicó ligeramente los pies del canario. Luego hizo un leve gesto hacia el bosque:

—«Ellos».

Cienfuegos se volvió y pese a que estaba acostumbrado a la selva, le costó distinguirlos, grises y casi invisibles entre la maleza, tan inmóviles como el más inmóvil de los árboles; sombras de sombras en un universo hecho de sombras.

—¿«Motilones»?

—¿Quién si no? Éste es su territorio.

Se dejó caer de nuevo consciente de que no valía la pena intentar la huida ni tratar de defenderse, y al comprender que aquella repugnante criatura, que era probablemente el ser humano más espantoso que hubiese existido nunca, constituía su única esperanza de conservar una vida que no le servía ya de nada, experimentó una profunda sensación de rebeldía, y a punto estuvo de dar un salto y lanzarse ciegamente hacia la muerte.

Sin embargo, un último residuo de su indestructible instinto de conservación afloró de nuevo, y odiándose a sí mismo por lo que iba a decir, inquirió:

—¿Puedes salvarme?

—Si aceptas ser esclavo de Acarigua, sí.

—¿Qué tendría que hacer?

—Ser esclavo de Acarigua —replicó con absoluta naturalidad.

—¿Y eso en qué consiste?

—En obedecerla en todo —sonrió, mostrando sus verdosas encías—. No te asustes —señaló—. Acarigua está vieja para pensar en más hijos. Sólo tienes que cargarla.

—¿Cargar contigo? —se sorprendió el gomero—. ¿Llevarte a hombros?

—O a la espalda... —sonrió de nuevo—. Las piernas ya apenas sostienen a Acarigua y no quiere quedarse en un mismo sitio para siempre. —Cambió el tono de voz, que se hizo casi humano—. Apenas lo notarías —añadió—. Acarigua pesa muy poco y tú eres muy fuerte.

El isleño hizo un levísimo gesto hacia la espesura:

—¿Y ellos? —quiso saber.

—Temen a Acarigua porque si les echa una maldición morirán entre horribles dolores.

—Eso no es más que superstición.

—Yo lo sé y tú lo sabes —admitió la repelente anciana con naturalidad—. Pero ellos no.

—¡Vieja bruja!

—¿Qué otra cosa se puede ser a mis años y despreciada por todos? —quiso saber—. ¿Aceptas?

—¿Me queda otro remedio?

—Ninguno... —Hizo un gesto con su engarfiada mano indicándole que se aproximara—. ¡Ven! —ordenó—. Súbeme a tu espalda y vámonos antes de que decidan convertirte en «marimba».

—¿En qué?

—En «marimba». Cuelgan el cráneo a la entrada de los puentes, y los huesos los atan entre sí golpeándolos con dos palos. Suena lindo.

—¡La madre que los parió!

—Yo.

—¿Cómo has dicho?

—Que muchos de ellos son hijos de Acarigua...

Se la cargó a la espalda, venciendo la repugnancia que experimentaba al sentir su áspera y rugosa piel de lagarto polvoriento, y echó a andar penosamente en dirección opuesta a aquella en la que se encontraban los «motilones».

Por fortuna, el diabólico engendro milenario pesaba menos que una simple mochila, pero sentir sus zarpas sobre su cuello, percibir su hedor a mono, y escuchar junto a la oreja el continuo rumiar de su boca de cloaca, le revolvió el estómago, por lo que tuvo que hacer uso de toda su entereza para no lanzarla al aire y echar a correr confiando su salvación en la ayuda de Dios y la velocidad de sus piernas.

Por desgracia, tenía plena conciencia de que sus piernas no estaban en óptimas condiciones, y como por lo visto Dios no había decidido aún embarcarse rumbo a «Las Indias», se limitó a maldecir entre dientes su puerco destino, y abrirse camino como buenamente podía por entre la densa maleza, llevando pegada a la espalda, como una inmensa garrapata, a la asquerosa anciana.

«Los hombres de ceniza» le seguían.

No podía verlos ni oírlos; no podía asegurar en qué lugar concreto se encontraban en cada instante, pero abrigaba la absoluta seguridad de que merodeaban a su alrededor, tan cerca como pudieran estarlo sus propios pensamientos.

—¡Mierda! —masculló.

—¡No hables en gomero...! —le reprendió de inmediato su dueña—. Eres mi esclavo y Acarigua quiere saber lo que dices.

—He dicho «mierda» —repitió en su dialecto—. ¿Acaso les está prohibido lamentarse a los esclavos?

—Acarigua aún no te ha tratado mal.

—Si te atreves te romperé el pescuezo.

Ella agitó las afiladas y renegridas uñas mientras señalaba sibilinamente:

—¿Ves esto? La pasta oscura que hay debajo es «curare», y si te araño estarás muerto antes de dar tres pasos.

—¿«Curare» «auca»?

—Auténtico «curare» «auca» —admitió con aquella risa suya capaz de irritar a un ermitaño—. ¿Cómo crees que Acarigua ha conseguido sobrevivir tanto tiempo? Sus uñas son sus armas...

El afable y obsequioso amanuense, el hombre que olía a sudor y jazmín, Amérigo Vespucci, pasó a convertirse a partir de aquella primera tarde de animadísima charla en el florido patio de un vetusto caserón del barrio de Triana, en inseparable compañero de tertulia y francachelas de Alonso de Ojeda y «Maese» Juan de la Cosa, quienes se veían obligados a permanecer en Sevilla a la espera de que el Obispo Fonseca obtuviese de los Reyes las capitulaciones necesarias para emprender el viaje, así como a que el banquero Berardi reuniese algunos socios con los que encarar la costosísima empresa sin correr a solas todos los riesgos.

El piloto de Santoña se ocupaba entretanto de buscar las naves, y Ojeda de ir seleccionando a los hombres que habían de acompañarles, lo cual no resultaba en principio demasiado problemático, ya que la mayoría de los marinos, soldados de fortuna, «caballeros de capa raída» y fugitivos de la justicia que rondaban por la ciudad, se mostraban entusiasmados con la idea de servir a las órdenes del más prestigioso y admirado de los capitanes existentes, sobre todo al saber que no se encontraba ya bajo la férula de un tiránico Virrey cuyos repartos de beneficios jamás satisfacían a nadie.

La definitiva conquista de Granada y la total pacificación de la Península siete años antes, había dejado infinidad de brazos ociosos; brazos que se resistían a cambiar la espada y la lanza por la hoz y el arado, ya que para cualquier hidalgo castellano, por mísera que fuera su condición, siempre continuaría siendo mucho más noble pasar hambre que trabajos.

Apuntarse a la exploración de aquel Nuevo Mundo del que tantos prodigios se contaban, comandados por quien había sabido penetrar en compañía de un puñado de caballeros en pleno campamento del feroz cacique Canoabó para llevárselo a la grupa de su caballo ante la atónita mirada de cinco mil guerreros, inflamaba de entusiasmo el ánimo de la mayoría de aquellos apasionados soñadores que se veían de nuevo a lomos de los briosos, corceles que se vieron obligados a empeñar en su día, lanzándose sobre los salvajes con el mismo coraje con que se lanzaron antaño sobre los moros invasores.

La guerra suele ser un infierno para las mayorías, nostalgia para algunos, y una irresistible droga, para otros, y ese último grupo fue el que transformó «El Pájaro Pinto» —la inmensa posada a orillas del Guadalquivir en que Ojeda y Juan de La Cosa se hospedaban— en su centro de reunión y francachelas; una especie de casino popular en el que tan sólo estaba permitido hablar de batallas, navíos y mujeres.

De vino no se hablaba; se bebía.

Y se cantaba hora tras hora aquella vieja romanza que tanto amaban todos los marinos que alguna vez cruzaron el océano:

Trinidad; a proa se abre el mar,
y el mar se cierra a popa.

Con temporal de frente
o buen viento a la espalda...

Al manirroto Ojeda no le importaba en absoluto emplear el escaso oro que había conseguido traer de sus años en «La Española» en matar el hambre y la sed de aquella loca pandilla de buscavidas, pues le constaba que de entre ellos tendría que escoger a quienes le acompañaran, y que en aventuras como las que les esperaban, las peores dificultades no estribaban nunca en la ferocidad de sus enemigos o los obstáculos que la Naturaleza pusiera en su camino, sino en la forma de reaccionar que tuvieran en su momento los hombres a su mando.

En Sevilla y repantigados ante una amplia mesa por la que corría el vino en abundancia, jurar compañerismo y hablar de futuras hazañas resultaba muy fácil, pero cuando llegase el momento de enfrentarse a las nubes de mosquitos, el calor agobiante, la escasa comida, las aguas hediondas, la carencia de mujeres y el ataque de los salvajes, las cosas solían contemplarse de forma muy distinta, por lo que no resultaba extraño que un hombre tan acostumbrado al mando como él, dedicara la mayor parte de su tiempo a estudiar a cuantos le rodeaban, calibrando cuál sería su auténtico rendimiento cuando llegase la hora de demostrar su calidad humana.

Y es que sabía por experiencia, que ni el más disciplinado resultaba ser siempre el mejor soldado; el más contestatario, el menos digno de confianza; el más agresivo el mejor luchador, ni el más apocado el más cobarde.

La larga estancia de Ojeda y el piloto de Santoña en «El Pájaro Pinto» acabaría por convertir la vieja posada sevillana en tradicional punto de reunión de la mayoría de los «conquistadores» que a todo lo largo de la primera mitad del siguiente siglo se embarcaran con rumbo al Nuevo Mundo, y al igual que en «La Taberna de Los Cuatro Vientos» de Santo Domingo, en ella ahogarían en vino sus sueños de grandeza, hombres como Balboa, Cortés, Alvarado, Cabeza de Vaca, Orellana y Pizarro, que aunque en su momento nadie pudiera ni tan siquiera imaginarlo, acabarían por escribir con su sangre —y la ajena— algunos de los capítulos más gloriosos —y terribles— de la Historia.

De allí partieron y allí regresaron a contar a las generaciones venideras las hazañas de que fueron protagonistas más un millón de mentiras que rebotaron una y otra vez contra unos gruesos muros que parecían haber sido levantados ex profeso con el fin de que los hombres dieran rienda suelta entre ellos a todas sus fantasías.

Fue allí, entre los brazos de una tal Candela, donde el de Cuenca comenzó a olvidar el amor de la princesa Anacaona, y fue allí, también, donde una noche alzó los ojos para enfrentarse al adusto rostro de un caballero de gesto airado, que le increpó secamente:

—¿Me recordáis, señor?

Hizo memoria buscando en las demacradas facciones que ocultaba una espesa barba oscura, rasgos que le resultaran familiares y acabó por inquirir:

—¿Debería recordaros?

—Temo que sí.

—¿De dónde?

—De «Isabela». Allí os mofasteis de mí haciéndome creer que habíais descubierto una fantasiosa «Fuente de la Eterna Juventud».

Ojeda le observó con gesto de incredulidad, volviéndose luego al grupo de amigos que le rodeaban como queriendo poner de manifiesto su total desconcierto ante tan absurda afirmación.

—¿Una «Fuente de la Eterna Juventud»? —repitió como si le costara admitir que algo así pudiera ocurrírsele a nadie—. ¡Qué barbaridad! Ni al más lerdo se le pasaría por la mente imaginar que existe un estúpido capaz de dejarse embaucar con tal patraña. ¿Estáis seguro de que yo os hablé de eso?

—Sí.

—¡Diantre! —exclamó, estupefacto—. ¿Os atreveríais a jurar solemnemente que yo, el Capitán Alonso de Ojeda, mencioné ante Vos la existencia de una supuesta «Fuente de la Eterna Juventud»?

Se diría que por unos instantes el Capitán León de Luna, vizconde de Teguise, estaba a punto de replicar afirmativamente, pero la idea del juramento tuvo la virtud de obligarle a reflexionar, pareció desconcertarse, y al fin replicó furibundo:

—¡No! No puedo jurar que Vos mismo me hablarais de ella, pero lo hicieron vuestros secuaces.

—¿Secuaces? ¿A qué secuaces os referís, Señor? Medid vuestras palabras o mediré vuestra lengua con mi espada. Yo no tengo secuaces, sólo amigos borrachos, y si alguno os quiso gastar una broma, no es tema que me incumba... —Hizo una corta pausa y añadió, alzando significativamente el dedo—: A no ser que intentaran estafaros utilizando mi buen nombre. Decidme...: ¿Lo hicieron? ¿Os pidieron dinero en mi nombre?

El otro pareció haberse vuelto súbitamente cauto ante el inesperado giro que estaba tomando la discusión y el gesto reprobatorio de la mayoría de los testigos y acabó por negar secamente:

—No —replicó desconcertado—. Nadie me pidió dinero utilizando vuestro nombre. Por el contrario: insistieron en rechazarlo.

—Eso me tranquiliza —replicó el conquense, con una especie de suspiro de alivio—. En ese caso, contadme si os apetece vuestras cuitas. ¿Qué clase de broma es ésa, y quién os hizo víctima de ella?

—Sabéis muy bien a qué me estoy refiriendo, y quiénes participaron en el engaño —fue la agria respuesta—. Eran vuestros «amigos»... ¿O acaso no recordáis que pasamos juntos toda una noche bebiendo y jugando a los dados?

—Querido señor... —replicó el otro con calma—. Ni cien elefantes serían capaces de recordar con cuánta gente he jugado a los dados o me he emborrachado en esta vida... Pero ahora que me esfuerzo, creo tener la vaga idea de un supuesto vizconde que apareció por «Isabela» a bordo de una cochambrosa carraca. Puede que fuerais vos, pero como se os dejó de ver el mismo día en que la nave levó anclas, imaginamos que no os había gustado el lugar y habíais decidido regresar. —Sonrió levemente—. A nadie le extrañó, ni nadie os lo echó en cara: «Isabela» era en verdad un basurero abominable. ¿Sabíais que ha sido abandonada?

—Continuáis intentando burlaros de mí —exclamó el Capitán de Luna, conteniendo a duras penas su ira y llevándose ostensiblemente la mano al puño de la espada—. Había ido allí a cumplir un deber sagrado y entre todos me lo impedisteis.

—Poco me incumbe a qué deber os referís, ni quién impidió que lo cumplierais, pero os advierto que desenvainar en mi presencia es de las últimas cosas que se le suelen ocurrir a un caballero.

—¿Me estáis retando?

—Es más bien vuestra actitud la que me reta. Habéis venido a acusarme de algo absurdo de lo que además no tenéis pruebas. Si alguien fue capaz de convenceros de que existía una fuente que obra milagros, a fe que además de rematadamente estúpido sois descabelladamente imprudente y mereceríais que os diera un escarmiento.

—¡Intentadlo! No me impresiona vuestra fama.

—¿«Fama»? —repitió el conquense levemente burlón—. ¿La conocéis?

—Todo el mundo la conoce: de invencible matachín de taberna, lo que en mi opinión es falso, y de miserable buscavidas, que, a mi modo de ver, es cierto.

—No. No me refiero a ésa... —Ojeda descolgó la espada que tenía tras él y la lanzó sobre la mesa—. ¿Sabéis cómo se llama...: *Fama*? Está grabado en su hoja...: «Mi fama me precede y me protege». —Sonrió con picardía—. Pero también se convierte a menudo en mi peor enemigo, pues son muchos los que creen, como Vos, que no me la merezco. ¿Desearíais comprobarlo?

—Cuando gustéis.

El Capitán de Luna desenvainó su arma, pero antes de que pudiera darse cuenta de qué era lo que en verdad ocurría, advirtió que había volado sin que su rival hiciera apenas gesto alguno con la suya.

Pese a que siempre se había considerado un magnífico militar y un aceptable duelista, lo ocurrido le dejó tan perplejo, que por un momento no supo qué hacer ni cómo reaccionar, limitándose a observar cómo Ojeda recogía calmosamente la espada y se la devolvía, al tiempo que señalaba con estudiada paciencia:

—¡Tomad! Y procurad no ser tan impulsivo. Alguien con pocos escrúpulos podría aprovechar la ocasión y haceros daño. —Con un gesto indicó a los presentes que se apartaran dejando un amplio espacio libre a su alrededor e inquirió amablemente—: ¿En guardia?

El Vizconde asintió sin haber logrado vencer aún su desconcierto, y justo en el momento en que flexionaba las piernas dispuesto a iniciar el ataque, una especie de velocísimo relámpago refulgió ante sus ojos y de nuevo se encontró con las manos vacías.

—¡Dios! —fue todo lo que alcanzó a exclamar.

—Creo que por este camino no llegaremos a parte alguna —comentó pesimista el de Cuenca, mientras buscaba de nuevo el arma bajo una mesa—. No dudo de vuestros méritos como soldado, pero como matachín de taberna y miserable buscavidas, dejáis mucho que desear.

—¡Acabaré con vos!

—A no ser que confíes en que me dé un síncope de tanto agacharme, lo veo difícil —fue la burlona respuesta.

—¡Enano de mierda...!

Su rival ni se inmutó siquiera por el duro insulto, sino que más bien pareció contribuir a aumentar su natural buen humor, puesto que sin perder ni un instante la pícara sonrisa, señaló:

—¿Así que se trata de que mi «no-excesiva» estatura os preocupa...? ¡No hay cuidado! Me subiré a un taburete para estar a vuestro nivel... ¡Vespucci! —rogó—. Prestadme el que ocupáis. —Se volvió de nuevo a su desasosegado contendiente, que libraba una terrible batalla entre su sorda ira y su incontrolable confusión—. ¡Os propongo un trato! —añadió socarrón—. Combatiré desde lo alto del taburete y si conseguís obligarme a poner un pie en tierra, os pediré perdón por todas las ofensas que yo o «mis amigos» hayamos podido inferiros. Pero en caso de que os venza, os marcharéis de aquí jurándome, además, que jamás regresaréis a «La Española».

Su Excelencia, el Vizconde de Teguise, Capitán León de Luna, aragonés de Calatayud y ex señor de la mayor parte de la isla de La Gomera, necesitó unos minutos para meditar a fondo la respuesta, y tras un supremo esfuerzo de voluntad en el que consiguió a duras penas contener su indignación, aceptó con un leve ademán de cabeza.

—¡De acuerdo! —dijo—. Estos caballeros son testigos de vuestras palabras... ¡Cuando gustéis!

Alonso de Ojeda le devolvió de nuevo la espada, tomó el taburete que le ofrecía Amérigo Vespucci, lo situó justo en el centro del amplio salón de la taberna y se subió a él colocándose en guardia, mientras medio centenar de alborotadores parroquianos se agolpaban dispuestos a disfrutar del hermoso espectáculo que significaba ver combatir de tan peculiar manera al mejor espadachín del mundo.

Pero lo que ocurrió a continuación les dejó atónitos, puesto que enfundando tranquilamente su arma, el Capitán de Luna dio media vuelta, se apartó unos metros y, tomando asiento junto a una mesa vacía, se sirvió una jarra de vino para beber pacientemente mientras contemplaba, irónico, al hombrecillo trepado en el taburete.

—¿Pero qué hacéis? —protestó éste barruntándose la treta—. ¡Luchad!

—Ya lucho —fue la tranquila respuesta—. A mi manera.

—¿A vuestra manera? —repitió aún más amoscado el de Cuenca.

—Exactamente. Y vos mismo me habéis dado la idea. Cierto es que como matachín de taberna soy un desastre, pero como soldado conozco mi oficio, y todo soldado sabe que cuando no se puede rendir por asalto una plaza, se rinde por asedio. —Rió sonoramente—. El hambre y la sed os harán bajar de ahí, enano fanfarrón, y si os retrasáis mucho, os tumbaré a pedradas.

Y como para dejar bien sentado que no hablaba en broma, le lanzó a la cabeza la jarra de vino que el otro se vio obligado a esquivar rápidamente —lo que a punto estuvo de hacerle perder el equilibrio— al tiempo que exclamaba:

—Sois un tramposo y un liante. No es justo.

—¿Quién lo afirma? —inquirió su enemigo, que había recuperado por completo el control sobre sí mismo al saberse dueño de la situación—. Fuisteis vos quien impuso las condiciones del combate, sin especificar en ningún momento que existiera límite alguno de tiempo. Y a mí, tiempo, es casi lo único que me sobra... ¡Tabernero! —llamó a voz en cuello—. Asad corderos y sacad vuestro mejor vino; invito a todos los presentes a comer y beber hasta que el valiente y famoso Capitán Alonso de Ojeda se decida a poner un pie en el suelo.

—¿Lo pagaréis «todo»? —se asombró el buen hombre.

—Absolutamente todo mientras nuestro caballero permanezca sobre ese escabel... —Hizo un amplio ademán a una concurrencia entusiasmada con la idea de comer y beber gratis, y señaló divertido—: Rogad por tanto a vuestro buen «amigo» Ojeda que se mantenga firme, pues cuanto más resista, mejor lo pasaréis. Y gritad a coro: ¡Viva Ojeda «el estilista»! ¡Viva el bravo capitán que nos va a permitir atiborrarnos!

—¡Viva...! —aullaron varias voces en franco tono de guasa.

El de Cuenca pareció llegar a la conclusión de que había perdido la batalla y optó por tomarse las cosas con filosofía, puesto que alzando las manos en ademán de pedir calma, hizo un leve gesto de resignado asentimiento:

—¡De acuerdo! —dijo—. Aguantaré hasta que reventéis. Al fin y al cabo, una cena gratuita no es cosa que se presente cada día. —Se acuclilló sobre el diminuto espacio de que disponía, y añadió por último—: Pero daos prisa que aquí no se está nada cómodo.

Aquél fue, como él mismo reconocería ya muy anciano, el único duelo que el más osado, valiente, noble y desafortunado de los «conquistadores» españoles, habría de perder a todo lo largo de su agitada vida, pero también reconocería en su vejez que el peor recuerdo que le quedó de aquellos agitados y divertidos días de Sevilla no se centraba en el citado lance, sino en el hecho de que no supo comprender a su debido tiempo que más astuto y ladino aún que el propio Capitán León de Luna fue en verdad el hipócrita amanuense Amérigo Vespucci, quien, fingiendo una amistad y una admiración que no sentía, se dedicó con maquiavélica habilidad a sonsacarle sobre cuanto sabía del Nuevo Mundo que acababa de nacer al otro lado del océano.

Recopilando sus notas, el italiano que hedía a jazmín escribió una larga crónica en la que se atribuía la autoría de tales hallazgos, asegurando haber participado en una larga travesía por las costas del continente, crónica que envió a su protector, Renato, Rey de Jerusalén y de Sicilia y duque de Lorena. Éste, aficionado también a la cosmografía, no puso nunca en duda la sinceridad de su protegido, por lo que mandó publicar la fantasiosa historia que obtuvo de inmediato un clamoroso éxito entre unos científicos europeos vivamente interesados por todo cuanto se refiriese a nuevas exploraciones.

Para la mayoría de ellos, la posibilidad de la existencia de un Nuevo Mundo a mitad de camino de Asia resultaba mucho más interesante que el simple viaje en busca de una ruta más corta hasta Cipango, y fue por ello, y debido a la cerril negativa del Almirante a aceptar lo evidente, por lo que en muy poco tiempo el nombre de Vespucci se hizo mucho más popular que el del propio Colón, pese a que jamás hubiera puesto los pies más allá de Sevilla.

Años más tarde, el cartógrafo lorenés Martin Waldseemuller publicó un libro en el que situó al oeste de las Canarias un continente que denominó «De Amérigo» y pese a que cuando averiguó la verdad intentó enmendar su error, ya no pudo hacer nada, por lo que el Nuevo Mundo pasaría a llamarse definitivamente «América», dando pie a la mayor injusticia histórica de todos los tiempos.

El Nuevo Mundo tendría que haberse llamado en buena lógica «Colombia», o en todo caso «Atlántida» como algunos proponían, pero completamente ajeno a tales cuestiones, de las que no llegaría a tener conocimiento más que ya casi en su lecho de muerte, el bienintencionado Ojeda no dudó en seguir concediendo su afecto y amistad al intrigante amanuense, quien se las ingenió también para convencer a su patrón, el banquero Berardi, de que nadie mejor que él mismo supervisaría los fines económicos de la proyectada expedición, argumento con el que consiguió que le incluyeran en el viaje que zarparía rumbo a «Las Indias», en abril de 1499.

Lo comandaba el de Cuenca, llevando como piloto al marino de Santoña, y pese a que su fin último era el de regresar con oro y especias que enriquecieran aún más a sus patrocinadores, en realidad fue la primera expedición que partió hacia el oeste con la clara vocación de descubrir y colonizar, olvidando por completo la búsqueda de una posible ruta hacia el «cercano» imperio del Gran Kan.

Llovía mansamente.

El agua, silenciosa, escurría de un cielo tan encapotado que semejaba un paño de cocina que alguien hubiese puesto a secar sobre las copas de los árboles, permitiendo que gotease sin llamar la atención pero empapando a la larga la tierra con mucha más eficacia que la más estruendosa tormenta.

Las gotas se detenían sobre las hojas para resbalar luego pacientemente por sus tallos, alcanzar las finas ramas, pasar por fin a las más gruesas, y de ahí al tronco, y aunque fuesen muchas las que a mitad de camino perdiesen el equilibrio para precipitarse al vacío, podría creerse que la mayor parte constituían un disciplinado ejército que siguiese un itinerario marcado de antemano; itinerario que no tenía más objeto que transformar el ya enfangado suelo de la jungla en un barrizal impracticable.

Había llegado el invierno, y en la intrincada serranía de los «motilones», invierno no era sinónimo tan sólo de tristeza, sino que era por encima de todo lluvia; una lluvia que durante meses se adueñaba del paisaje, sus bestias y sus gentes, desposeyendo de cualquier protagonismo a cualquier otro acontecimiento.

Lejano, alto y furioso, el sol recalentaba la inmensa superficie del mar de los caribes provocando que densas nubes de vapor se alzasen muy despacio para que una suave brisa del nordeste las empujase hasta las laderas de las montañas sobre las que descargaban sin prisas, pero también sin la más mínima pausa, hora tras hora, de día y de noche, tan obsesivamente que las semanas jugaban a transformarse en meses y los meses en años.

Nadie sabía decir a ciencia cierta cuánto tiempo solía durar aquel deprimente «invierno», porque sin luna que brillase en los cielos ningún indígena se sentía capaz de contar más allá de los dedos de su mano, ignorando por tanto, la longitud de la húmeda estación a la que sucedería de inmediato el infierno de un calor tórridamente insoportable.

Hacinados bajo miserables chamizos de hojas y ramas que no acostumbraban ser más que destartaladas techumbres sin paredes, «los hombres de ceniza» dejaban de serlo en aquella época del año a causa de un agua que se filtraba por todas las rendijas, limitándose a vegetar dormitando colgados de sus rústicas hamacas a tres cuartas de un fangoso suelo en el que se hundían hasta los tobillos en cuanto trataban de dar un solo paso.

Olía a moho, bestia muerta y excrementos humanos, no se escuchaba más rumor que el de la lluvia, ni se percibía otro movimiento que el producido por el agua, pues hasta los monos y las ardillas parecían haberse contagiado por el abandono que se había apoderado de una alta jungla de la que las aves —todas las aves— habían escapado como arrojadas de sus nidos por las primeras nubes.

Acurrucado en un rincón, tan mustio y aletargado como el mundo, el canario *Cienfuegos* —hombre de sol, calor y horizontes abiertos— abrigaba la invencible sensación de haber pasado a convertirse en muerto viviente, un ser sin voluntad ni capacidad de reacción, tan abatido por la agobiante atmósfera de dejadez en que se encontraba inmerso, que podría creerse que incluso el ciclo de sus constantes vitales había disminuido hasta el límite que separaba la vida de la muerte.

Dormitar, más que dormir, era cuanto hacía durante interminables horas, aparte de observar el corto horizonte de árboles y helechos, permitiendo que su mente vagara en busca de unos paisajes de luz y color que, recordados en aquellos momentos, resultaban incongruentes.

Su «dueña», Acarigua, era como el mascarón de proa de un viejo navío al que el asalto de los mares del norte hubiesen conferido una pátina que la convertían en inmune a la humedad, y sentada muy recta en el interior de un «matapalo», semejaba un extraño ídolo empotrado en su hornacina, tan inmóvil que en más de una ocasión el canario llegó a la conclusión de que había lanzado —sin ruido— su último suspiro.

Pero seguía con vida, y la elección del interior del «matapalo» como lugar de «residencia», tenía algo de simbólico en sí mismo, puesto que la liana asesina, no era en verdad más que un gigantesco parásito semejante en cierto modo a su inquilina.

La «clusia» comenzaba por ser una delgada cuerda que iba ascendiendo año tras año mientras se enrollaba en torno a un grueso tronco, casi siempre un hermoso «hevea» de más de cincuenta metros de altura, para comenzar luego a engrosar, fortaleciéndose y ahogando a su soporte hasta el punto de concluir por estrangularlo. Luego, el paso del tiempo conseguía que la lluvia, y la humedad pudrieran el primitivo árbol, de modo que al fin lo único que quedaba en pie era una especie de altísima «chimenea» que solía mantenerse erguida hasta que el propio «matapalo» —sin nadie ya a quien destruir— se destruía a sí mismo derrumbándose.

Acarigua, «la que todo lo veía, todo lo oía, y todo lo podía», parecía sentirse muy a gusto mirando durante horas hacia lo alto por el interior del angosto refugio que la mantenía a salvo de la lluvia, dedicada a mascar aquel «jarepá» que constituía casi su única fuente de vida, y que había enseñado a su «esclavo» a elegir cuidadosamente de entre las mil hojas semejantes que componían la foresta de la alta jungla.

Al famélico gomero no le había quedado más remedio que incluirlas también en su miserable dieta hecha de raíces, ranas y los escasísimos monos que conseguía sorprender en su letargo, viéndose obligado a admitir que además de una dulce sensación de bienestar y olvido, el «jarepá» le ayudaba a combatir el hambre, el cansancio, y la insoportable depresión en que se encontraba sumido desde tanto tiempo atrás.

Y se diría que las dos docenas de escuálidos «motilones» que acampaban en el cercano claro basaban igualmente sus posibilidades de supervivencia durante el largo período de lluvias en el consumo de aquella pequeña hoja amarga, ya que raro era el día en que los guerreros salían de caza, y tan sólo cuando milagrosamente atrapaban un enfangado «pécari» se decidían a «cocinar» abrasándolo hasta convertirlo en un carbón que devoraban incluida piel y tuétanos.

Cienfuegos los observaba como quien observa a seres de otro mundo.

Y es que más aún que los sanguinarios «caribes» devoradores de carne humana, que poseían por lo menos rústicas chozas y una cierta organización social, los «hombres de ceniza» constituían en verdad un grupo humano tan inconcebiblemente primitivo, que casi podía situárseles en un escalafón intermedio entre el hombre y el mono.

Conocían el fuego y la palabra, no eran caníbales y utilizaban con habilidad rústicas armas demostrando en ciertos aspectos una diabólica astucia, pero no parecían capaces de construir un habitáculo medianamente decente pese a la dureza climatológica de su territorio, y ni siquiera mostraban interés por asimilar los pequeños adelantos o «refinamientos» de sus vecinos, los «pemeno» y «cuprigueri».

Observándolos, *Cienfuegos* llegó al convencimiento de que debía tratarse de un pueblo largamente acosado, que en su desesperada huida había concluido por refugiarse en aquella inaccesible serranía, pero que aún conservaba vivo el recuerdo de su terrible éxodo, por lo que había adoptado la costumbre de no levantar, ningún tipo de vivienda permanente, convirtiéndose en eternos nómadas dispuestos a escapar a la menor señal de peligro.

Sus puentes, las calaveras y el hedor a muerte que esparcían por los bosques, no debía constituir por tanto un símbolo de poder, sino más bien una muestra de su debilidad, y su fama de asesinos una histérica reacción al pánico, y la mejor prueba de ello estribaba, quizás, en el hecho de que raramente organizaban expediciones de acoso a otras tribus, puesto que cuando lo hacían era únicamente con el fin de raptar mujeres y escapar a toda prisa sin plantar nunca batalla.

Eran débiles y lo sabían, pero como el isleño sabía a su vez que pocas cosas existen más temibles que la agresividad de los cobardes, vivía en el continuo temor de que, en cualquier momento, alguno de aquellos seres acomplejados e infrahumanos tuviera la malhadada ocurrencia de jugarle una mala pasada.

Por fortuna, la repelente Acarigua parecía tener un claro ascendiente sobre ellos, no tanto quizás a causa de sus supuestos poderes mágicos, sino más bien por el hecho de que debía constituir su único vínculo de unión con el mundo exterior, del cual no tenían más noticias que las que ella quisiera transmitirles.

La vieja momia iba y venía libremente entre las diferentes tribus, clanes y familias haciendo las veces de correo, y la necesidad de que al concluir las lluvias alguien pudiese ayudarle a cumplir una función a la que sus piernas comenzaban a negarse, era en el fondo la auténtica razón por la que permitían a *Cienfuegos* seguir con vida.

Éste, por su parte, no cesaba de preguntarse si pudrirse en un hediondo fangal, siempre atemorizado y sometido a los caprichos de la despótica anciana, valía la pena, aunque lo cierto era que se había visto ya tantas veces en tan amargas situaciones que una más tampoco le tomaba de sorpresa.

Pasaba la mayor parte del día buscando hojas de «jarepá» o algo más sólido que llevarse a la boca y en cuanto comenzaba a caer la tarde se acurrucaba como un perro bajo el techo de ramas que se había construido aprovechando el ángulo que formaban las raíces de una ceiba centenaria, para quedarse allí muy quieto, observando cómo el agua iba reblandeciendo la tierra hasta convertirla en un viscoso lodo que resbalaba pendiente abajo formando sucias cataratas que todo lo superaban en su descenso.

Transcurridos, quizás, dos meses, las diminutas cataratas pasaron a convertirse en torrenteras de un fango que se iba abriendo camino entre la espesuera, no como un simple arroyuelo que esquivaba o sobrepasaba los obstáculos, sino más bien como una masa que rodeaba los troncos de los más débiles arbustos para presionar sin prisas sobre ellos y concluir por quebrarlos arrastrándolos por fin hasta el fondo del valle.

A unos trescientos metros de la ceiba, y aprovechando la confluencia de dos vertientes, una de tales torrenteras había acabado por tranformarse en río; un auténtico río de barro que corría tres o cuatro veces más despacio de lo que pudiera haberlo hecho de tratarse de aguas claras, pero que parecía tener cien veces más fuerza puesto que lo iba triturando todo a su paso como una máquina imparable.

Día a día ganaba en anchura y poderío, y cada vez que el canario se aproximaba le impresionaba su aspecto, puesto que por su forma de moverse y comportarse, y por las enormes burbujas que de tanto en tanto reventaban en su superficie, llevaba al ánimo la idea de que no se trataba de simple lodo en movimiento, sino que más bien alguna extraña especie de bestia informe habitaba en su interior.

A los nativos les aterrorizaba al parecer el modo en que la forma fangosa se iba ensanchando a ojos vista, y *Cienfuegos* comprobó que en cuanto la primera claridad del día permitía abrirse camino por entre la intrincada foresta, tres o cuatro guerreros abandonaban nerviosamente sus hamacas para deslizarse como fantasmas hasta sus márgenes.

—Si no cesan pronto las lluvias, *Tamekán* nos devorará —comentó al fin una mañana la esquelética anciana saliendo de su letargo—. Acarigua oye cómo rugen sus tripas, porque cuanto más come, más hambre le entra.

—¿Quién es *Tamekán*...?

—El demonio sin forma que vence al agua y a la tierra porque es hijo de ambos y vive dentro del barro.

—El barro sólo es barro.

—En un principio sí —admitió la vieja sin cesar por ello de rumiar la verde pasta cuyo jugo le escurría por la comisura de los labios para ir a gotear sobre sus fláccidos pechos de cabra—. En principio el barro tan sólo es agua y tierra que se funden en un larguísimo abrazo. Pero si ese abrazo continúa: si permanecen demasiado tiempo sin separarse, nace *Tamekán* que crece y crece hasta convertirse en amo y señor de la montaña... —negó con gesto de absoluto pesimismo—. Caerá sobre nuestras cabezas y nos engullirá —lanzó a lo lejos un sonoro salivazo—. Y aquellos a los que *Tamekán* devora van directamente al infierno.

—¿Cómo lo sabes?

—Jamás ha devuelto un solo cadáver, y si no existe cadáver al que quemar para que su espíritu ascienda con el humo, ¿cómo se puede alcanzar el paraíso?

—Entiendo... —admitió el gomero—. ¿Es así como esperas entrar en tu paraíso? ¿Haciendo que te quemen? —ante el mudo gesto de asentimiento añadió socarrón—. Pues con la carne que tienes, no creo que des humo ni para alcanzar la copa de ese árbol.

—Más allá de las copas de los árboles, todo es cielo —sentenció la vieja— y tu última misión será quemar a Acarigua con leña húmeda y ramas de «akole» que dejan escapar un humo espeso, para que pueda esconderse en él y penetrar en el paraíso sin ser vista.

—¿Tan segura estás de que no te dejarán entrar de otra manera?

Ella agitó sus manos mostrando las engarfiadas uñas.

—Acarigua ha matado a mucha gente —admitió—. Incluso niños, aun a sabiendas que quien mata a un niño jamás logra salvarse.

—¿Niños? —se sorprendió el isleño.

—Niños deformes... —fue la serena respuesta—. Sus madres no se atrevían a acabar con ellos y tenía que ser Acarigua quien les enterrara las uñas en el cuello... —hizo un significativo gesto a su alrededor—. La vida es dura en el bosque, pero si además tienes que enfrentarte a ella tonto, cojo o manco, se vuelve un infierno.

Por eso es mejor que el «curare» te evite sufrimientos —se inclinó e introdujo la mano en el barro casi hasta el codo—. *Tamekán* está vivo y pronto se precipitará sobre nosotros... Es tiempo de morir.

En parte tenía razón, puesto que aunque pudiera discutirse si era o no tiempo de morir, parecía cierto el hecho de que el mítico demonio había cobrado vida, ya que pasaba a convertirse en el amo absoluto de la alta selva y hasta la lluvia caía ahora de un color castaño claro, confiriendo a un cielo antaño gris plomizo, una tonalidad achocolatada que conseguía que incluso los helechos apareciesen teñidos de marrón.

Cienfuegos comprendió entonces que el auténtico peligro no estribaba en el río de barro, ni aún en los arroyuelos que cada vez con mayor fuerza y frecuencia se precipitaban ladera abajo; el peligro venía de una persistente lluvia que había socavado y reblandecido de tal modo la serranía, que en cualquier momento un gigantesco corrimiento de tierras podía hacer desaparecer por completo gran parte de la montaña.

La mayoría de los arbustos habían sido arrancados o formaban una confusa pasta con el fango, las raíces de los más altos árboles afloraban al aire, y bajo la primera capa de tierra fértil ya lavada surgía ahora una arcilla roja y resbaladiza que impedía dar un paso.

Cayó un inmenso samán.

No lo mató el rayo, ni el viento, ni aun el empuje del todopoderoso *Tamekán*, sino que de improviso perdió sus puntos de apoyo, no tuvo donde aferrarse y el peso de su ancha copa y sus empapadas hojas le obligaron a precipitarse de bruces sobre el limo.

Resbaló unos metros hasta que un altivo cedro le detuvo, pero éste acusó a su vez el impacto y se inclinó luchando desesperadamente por mantener el equilibrio.

A la noche siguiente se derrumbó también.

Y seguía lloviendo.

Calladamente.

Sin ruidos ni aspavientos, como si su cercana victoria sobre la tierra, los árboles, las bestias y los hombres no le inquietara en lo más mínimo, investida de esa paciencia tan sólo comprensible en quien abriga el pleno convencimiento de que siempre triunfa, no aumentando un ápice su intensidad, pero sin disminuirla, limitándose a estar tan presente como si fuera a estarlo hasta el fin de los siglos.

Tamekán llegó a alcanzar los cien metros de anchura.

Los más viejos colosos de la selva se rendían casi sin ofrecer resistencia permitiendo que los arrastrara agitando al aire sus ramas como desesperados náufragos a punto de perecer, para acabar amontonados en el fondo de un valle que había sido bosque meses antes pero que ahora se había transformado en una gigantesca laguna de detritus.

Ya no se encontraban hojas de «jarepá» puesto que todo arbusto había sido barrido de la faz de la tierra, ni rastro alguno de comida, dado que hasta el último ser viviente capaz de volar, correr, saltar o arrastrarse había huido de una montaña que parecía marcada por el dedo del vengativo dios que había decidido aniquilarla.

—Busca madera y ramas de «akolé» —ordenó una tarde la anciana—. Acarigua quiere irse antes de que *Tamekán* la devore.

—Escucha vieja loca... —se impacientó el canario—. Ni aún estás muerta, ni en este puto lugar arde ya nada por mucho que se intente.

—Eres mi esclavo y si no obedeces a Acarigua los «motilones» te matarán.

—¿Ésos? —el gomero señaló despectivamente al mísero grupo de atemorizados salvajes que parecían haber ido encogiendo por efecto del agua—. Ésos en lo único que piensan es en que el barro se los va a engullir de un momento a otro. No creo que te hagan ningún caso —concluyó.

—Si no obedeces, Acarigua les dirá que dejará de llover en cuanto te maten. Y lo harán.

—Y si te quemo, me matarán en cuento te hayas convertido en humo... —replicó convencido el isleño—. ¿Tienes idea de lo que debe doler ser quemada viva con leña húmeda?

Ella se miró largamente las uñas.

—Cuando ya no resista, Acarigua se las clavará en el cuello —respondió quedamente—. Sabe cómo hacerlo para que la muerte llegue al instante y sin dolor.

—¡Maldita vieja! —se lamentó el canario—. ¿Y yo qué?

—Podrás marcharte —replicó quedamente—. Acarigua dirá a sus hijos y sus nietos que con mi muerte los cielos se calmarán a condición de que te dejen libre —escupió una vez más—. Es un buen trato —concluyó.

—¿Tanto miedo le tienes a *Tamekán*?

La desdentada bruja alzó el dedo indicando con un gesto hacia su izquierda al tiempo que inclinaba ligeramente la cabeza:

—¡Escucha! —pidió—. Escucha cómo ruge y cómo babea devorando cuanto encuentra a su paso... ¿Imaginas lo que debe ser sentirse entre sus tripas sabiendo que jamás volverás a ver los árboles ni el cielo? Si me quemas, Acarigua se quedará para siempre allá arriba, junto a los cóndores, pero si me atrapa, Acarigua sufrirá para siempre allá abajo, en las tinieblas —el tono de su voz se humanizó—. ¡Por favor! —suplicó.

—Déjame pensarlo.

—¡No queda tiempo! —alzó en el cuenco de la mano un puñado de barro que semejaba mantequilla derretida—. No queda tiempo —replicó—. La tierra ya no es tierra, el agua ya no es agua: ¡Todo es *Tamekán*!

Cienfuegos meditó con aquella paciencia aprendida de los propios indígenas para los que el tiempo jamás parecía tener medida, y llegó a la conclusión de que, en efecto, el temido corrimiento de tierras debía estar a punto de producirse, y quien no abandonara la montaña perecería con ella.

Tal vez los acobardados «motilones», odiados y perseguidos por sus vecinos, no tenían lugar alguno adonde encaminarse y preferían quedarse allí aun a costa de acabar bajo toneladas de fango, pero él, pastor gomero arrojado por los caprichos del destino a tan espantoso lugar, no tenía por qué sufrir su misma suerte, y cualquier punto hacia el que se dirigiera —¡cualquiera!— se le antojaba mil veces mejor que aquella putrefacta serranía.

—¡Está bien! —admitió al fin poniéndose en pie cansinamente—. Te prepararé una hermosa pira funeraria, pero habla antes con ellos...

Necesitó casi dos días para reunir suficiente leña y ramas de «akolé», y otros tres para malsecarla sobre un pequeño fuego e irla amontonando en el interior del «matapalo», haciendo que la bruja se sentara sobre ellas, o la rodearan de tal forma que llegó un momento en que se la podría considerar auténticamente emparedada sin apenas espacio para moverse.

Un último sentimiento que le impedía ver morir a un ser humano, aunque se tratase de una vida tan carente de sentido como la de la semiinválida aborigen, obligó sin embargo al isleño a acuclillarse por última vez frente a ella y tratar de convencerla de que eligiera una forma menos dolorosa de abandonar este mundo.

—Mátate y luego te quemo —suplicó—. De otra forma te llevaré siempre sobre mi conciencia.

Pero la vieja no tenía ni la menor idea de lo que significaba la palabra «conciencia», ni era aquel el momento de explicárselo, ya que lo único que deseaba era acabar cuanto antes teniendo la plena seguridad de que el fuego y el humo envolverían su cuerpo definitivamente.

—Hazlo y vete —fue su respuesta—. Por grande que sea el dolor, será sólo un momento. —Se observó largamente unas uñas que de tan engarfiadas le rozaban las palmas de las manos—. Probablemente el «curare» ya esté viejo y no haga efecto, pero no importa: Acarigua ha de pagar de algún modo...

Quedó en silencio para dirigir una larga mirada a *Cienfuegos* con la que parecía querer hacerle entender que por su parte daba por concluido su paso por el mundo, y tras permanecer unos instantes absorto y casi incapaz de comprender qué era lo que tenía que hacer exactamente, el infeliz canario consiguió reaccionar, para tomar una brasa de la pequeña hoguera y aplicarla a la hojarasca.

El empeño se convirtió en una ceremonia dantesca, macabra y tragicómica, puesto que entre la humedad del ambiente y una leña aún verde, no parecía existir fuerza humana capaz de conseguir que el fuego cobrase intensidad, y el gomero parecía a punto de sufrir un ataque de apoplejía de tanto soplar y resoplar intentando avivar la llama.

Acarigua le observaba con la impasibilidad de un «tótem», tan ajena a cuanto estaba ocurriendo en torno suyo que a no ser por el levísimo brillo del fondo de sus ojos, podría llegar a creerse que en realidad estaba muerta.

Cuando casi media hora después un humo negro y denso la envolvió por completo, y tímidas llamas comenzaron a lamer la fláccida y rugosa piel de sus muslos para ascender a lo largo de la esquelética espalda chamuscándole en el acto su único mechón de ralos cabellos, se limitó a cerrar los ojos y quedar muy quieta con las manos cruzadas sobre el pubis.

El impresionado *Cienfuegos* le dirigió una última mirada de horror y lástima, dio media vuelta y se alejó montaña abajo, resbalando y maldiciendo, tropezando y arañándose, cubierto de fango de los pies a la cabeza, cansado, hambriendo, asqueado de la vida e incapaz de preguntarse hacia dónde demonios se dirigía, y para qué.

Estaba una vez más perdido y nadie estuvo nunca tan perdido como él.

Un sol de fuego abrasaba las incipientes «calles» de la recién nacida «ciudad» de Santo Domingo, haciendo que a la terrible hora de la sagrada siesta, hombres y bestias buscasen refugio en la penumbra de sus viviendas o bajo los floridos «flamboyanes» que lo pintaban todo de rojo y amarillo.

No lejos de la ancha curva del río que se desperezaba a punto ya de unir sus turbias aguas con la cristalina transparencia de un mar de color verde manzana, podían distinguirse los cimientos de una iglesia que con el tiempo llegaría a convertirse en Catedral Primada del Nuevo Mundo, y los enormes bloques de piedra que configurarían sus gruesos muros aparecían esparcidos aquí y allá, a semejanza de tantos otros como servían para levantar mansiones, fortalezas y conventos que dejaban clara constancia de que los invasores habían tomado la firme decisión de establecerse definitivamente a aquella orilla del océano.

Nadie conseguiría detener ya el afán de construcción y destrucción de «los hombres vestidos» y salvo por el tórrido y húmedo calor, y por la exuberancia del selvático paisaje circundante se podría creer que la nueva urbe no era en realidad más que la transposición de cualquier otra de las muchas que se habían fundado en el transcurso de los últimos siglos allá en Europa.

La maciza fortificación que habría de defender la bocana del puerto de los navíos enemigos; el palacio del gobernador, la iglesia, los caserones de la nobleza y las chozas de adobe y paja del pueblo llano estaban ya allí, pero todo ello se había edificado sin tener en cuenta las peculiaridades del nuevo asentamiento, puesto que no sería hasta casi un siglo más tarde cuando los recién llegados tomarían conciencia de que tenían que crear una nueva arquitectura más acorde con el entorno colonial.

Habría que pasar mucho tiempo antes de que la lógica se impusiera a las prisas, porque de momento lo que el Virrey buscaba era consolidar su «cabeza de puente», a la par que impresionar a los nativos con el poderío de los recién llegados, y ambas cosas se conseguían a costa de levantar pesadas edificaciones en las que el hombre se agobiaba víctimas de un húmedo calor desesperante.

Corría el mes de agosto, y durante unas fechas en las que la ciudad parecía transformarse en una inmensa sauna, y a unas horas en las que un sol vertical podía matar a cualquier ser viviente que se expusiera a sus rayos, Ingrid Grass experimentaba con más fuerza que nunca una profunda nostalgia de su país de origen, evocando los días en que su padre la llevaba a dar largos paseos por la nieve.

Había llegado el momento de regresar y lo sabía.

Nada le ofrecía el Nuevo Mundo, más que riquezas que de poco le servían, y superados ya los treinta años había llegado al convencimiento de que su larga espera no tenía razón de ser, y el hombre al que viera por última vez siete años atrás jamás regresaría.

¡Siete años!

Casi la quinta parte de su vida —lo mejor de ella— se habían perdido en una espera inútil y en querer convencerse de que la evidencia no existía. Aquel al que tanto amaba estaba muerto, y aun en el caso de seguir con vida ya no sería sin duda el mismo que tan apasionadamente le poseyera en una laguna de la lejana isla de La Gomera.

No se sentía frustrada sin embargo, ni se arrepentía por haberse mantenido fiel a un bello recuerdo, puesto que siempre tuvo la plena seguridad de que entregarse a otro en ese tiempo, la hubiera hecho más infeliz aún que su absoluta soledad.

Se mostraba orgullosa de haber amado con tanta intensidad durante tanto tiempo, pero como siempre se había considerado una mujer inteligente, pese a que hubiera perdido la cabeza por un hermosísimo pastor canario, se sintió igualmente orgullosa de sí misma por ser capaz de plantearse la necesidad de tomar la difícil decisión de romper definitivamente con el pasado por daño que le hiciera.

No aspiraba a que nadie ocupase el lugar que en su corazón ocupara *Cienfuegos*, y le repelía la simple idea de que otras manos que no fueran las del isleño la rozaran, pero a falta de un mes para que esos siete años se cumplieran, había llegado el momento de dejar de hacerse estúpidas ilusiones.

Necesitaba imperiosamente recuperar una paz de espíritu que durante todo aquel tiempo le había estado vedada, y abrigaba la absoluta seguridad de que tan sólo la encontraría en su Munich natal, allí donde nadie hablara nunca de exploraciones y conquistas, y donde no sintiera tan próximo el mundo al que su amado había pertenecido.

La vida en la colonia se le estaba volviendo, por otra parte, insoportable, puesto que ni siquiera el hecho de contratar a media docena de hambrientos «caballeros» que protegieran su hacienda y su honor había servido de gran cosa, dado que las murmuraciones y malquerencias continuaban siendo las mismas si es que no habían aumentado.

Se la tachaba de prostituta, lesbiana, espía portuguesa y vendida a los intereses del ex alcalde Roldán, y los celos y envidias hacia su persona se extendían de tal forma, que empezaba a temer que cualquier día el inquisidor Obispo decidiera tomar cartas en el asunto.

Alguien había corrido la voz de que su esposo, un noble aragonés emparentado con el Rey Fernando pretendía «ajusticiarla» por los «crímenes» que antaño cometiera, y era cosa sabida que el propio Almirante, que se encontraba de nuevo en la isla se había interesado a menudo por su vida y su pasado.

Incluso el fiel y siempre ecuánime Luis de Torres

se mostraba seriamente preocupado por el cariz que estaban tomando los acontecimientos, y su inquietud alcanzó las más altas cotas cuando tuvo conocimiento de que los dominicos pretendían alzar su convento justamente a espaldas de la enorme casa de su amiga.

—Malos vecinos serán por santos hombres que sean —sentenció—. Porque en cuanto descubran que el terreno que han elegido se les quedará pronto pequeño, tratarán de apoderarse del vuestro, dado que al río no existe forma de robarle espacio.

—Ésta ya no es tierra para mí, querido amigo —admitió la alemana con gesto de resignación—. Llegaré a un acuerdo con Don Bartolomé y Miguel Díaz sobre la parte del oro que me corresponde, venderé la casa y volveré a mi país.

—¿Y Haitiké?

—Vendrá conmigo, naturalmente.

—¿En verdad creéis que Baviera es el lugar idóneo para un niño nacido en tierras cálidas y cuyo único sueño es el mar?

—¿Qué otra cosa puedo hacer? Pese a que se muestre siempre tan distante, le quiero como si fuera mi propio hijo, y se ha convertido en mi única familia.

—Por eso mismo debéis tener en cuenta que allí será siempre un pobre mestizo. ¿Qué futuro le espera?

—El que yo sepa darle —*Doña Mariana* se puso en pie para aproximarse al gran ventanal desde el que se dominaba la casi aceitosa desembocadura del río en la que se reflejaban las erguidas palmeras de la orilla opuesta y los mástiles de un altivo navío que se mecía mansamente bajo el tórrido sol del trópico—. Echará de menos todo esto, lo sé —admitió al fin—. Pero no quiero que crezca escuchando las cosas que se dicen de mí.

—Sabrá que son injustas.

—Para un niño los conceptos de justicia e injusticia, verdad o mentira, suelen ser muy complejos. Si muchos le repiten lo mismo muchas veces acabará creyéndoselo.

—Existe una solución... —señaló el converso con voz pausada—. Casaos conmigo.

—Sabéis que amo a otro hombre.
—Sé que amáis a un recuerdo, no a un hombre...
—Viene a ser lo mismo.
—No para mí —acudió a su lado aunque se mantuvo, como siempre, a prudente distancia, sin rozarla.
—Os respetaría y conviviríamos como amigos hasta el fin de nuestros días si fuera necesario. Haría lo que me pidierais con tal de no dejar de veros —negó con sincero pesar—. Si os marcháis, mi vida aquí no tendrá ningún sentido.
—La vida aquí no tiene sentido a no ser que se posea una gran ambición... —sonrió con amargura—. O se espere inútilmente a alguien —alargó la mano y la depositó con suma delicadeza sobre la del ex intérprete real—. Estoy convencida de que cumpliríais vuestra palabra, pero por lo mucho que os aprecio no deseo someteros a semejante prueba —alzó las manos en señal de impotencia—. La decisión está tomada: reembarcaré hacia Europa.
—Os creía más valiente —protestó él.
—Admitir la derrota no es síntoma de cobardía, sino de madurez. Presenté batalla mientras existían esperanzas de triunfo, pero ya no es así.
El converso Luis de Torres, hombre inteligente y sensible dondequiera que los hubiese, pareció comprender que toda insistencia resultaba inútil, y que aquella admirable mujer que durante años había sabido mantener con increíble entereza su decisión de esperar a un hombre, sostendría ahora con idéntica firmeza la convicción de que había llegado el momento de cambiar su destino.
—Hablaré con el Licenciado Cejudo —señaló al fin como, si con ello pretendiera dar por sentada la aceptación de su propia derrota—. Siempre se mostró interesado por vuestra casa, aunque no sea éste el mejor momento para abordarle: está desesperado porque su negro preferido se ha unido a los rebeldes.
—¿Bamako? —se asombró la alemana—. ¿El gigante?
—El mismo. Un buen día le dio tal patada al Licenciado en salva sea la parte, que lo lanzó de cabeza a

un pozo, a continuación huyó a la selva, y ahora es uno de los hombres de confianza de Roldán.

—Mal cambio de dueño es ése —sentenció Ingrid Grass, arrugando el entrecejo—. Cejudo es de los que tratan a sus siervos como amigos, mientras Roldán siempre fue de los que tratan a sus amigos como siervos.

—Pues son muchos ya los que se le han unido.

—Volverán, y si no vuelven, se deberá sin duda a que los Colón son aún peores... —chasqueó la lengua como queriendo mostrar su profundo fastidio—. Lo dicho —añadió—. Ha llegado el momento de dejar estas tierras.

Comenzó, pues, a disponerlo todo con el fin de abandonar la isla a largo plazo, consciente de que su mayor preocupación se centraba ahora en el hecho de preparar al pequeño Haitiké —que pronto cumpliría seis años— con vistas a la profunda transformación que habría de sufrir su vida, puesto que al introvertido chicuelo se le diría incapaz de concebir la existencia lejos del mar y de sus barcos.

Siempre había sido un niño obediente y silencioso, tranquilo y aplicado; cariñoso y dulce aun dentro de su natural alejamiento de cuantos le rodeaban, pero todo ello se debía, quizás, a que le permitían pasar largas horas correteando por la hermosa playa que se extendía a todo lo largo del sur de la ciudad, o sentado en una roca que dominaba estratégicamente la desembocadura del río y el paso de los barcos.

En los atardeceres acudía a la esquina de «Los Cuatro Vientos», a acurrucarse muy cerca del porche de la taberna y observar desde allí las idas y venidas de los marinos, y cuando alguno de ellos comenzaba a hablar de largos viajes y lejanos mundos, permanecía como hipnotizado, tan absorto, que a menudo el renco Bonifacio tenía que venir a rescatarle de su abstracción entrada ya la noche.

El pacífico cojo se había convertido, con el paso del tiempo, en su mejor amigo; el único ser sobre la faz de la tierra al que solía contarle cuanto sentía, abriéndole su corazón de par en par, y tal vez por ello el gomero comprendía mejor que nadie hasta qué punto sufriría a causa de los tremendos cambios que se avecinaban.

Él mismo se sentía confundido con respecto a los planes de su ama, puesto que no se hacía a la idea de acompañarla a una ciudad de tierra adentro en un país extranjero de cuyo idioma no entendía una sola palabra, y por otra parte tampoco concebía la posibilidad de que amaneciera un sólo día sin saber que iba a disfrutar de la serenidad de su presencia.

El cojo Bonifacio Cabrera era ya un hombre, pero aún continuaba amando a la hermosa alemana no con pasión de hombre sino con la ternura del muchacho que vio un día en ella a la amiga, la hermana y la madre que todo adolescente necesita.

Y Haitiké era como su hijo y su hermano al propio tiempo, y por esa razón mantenía una difícil confrontación consigo misma a la hora de decidir si se quedaba en la isla, o emprendía el duro camino de lo que constituiría para él un auténtico exilio.

Por ello, el día que corrió el rumor de que cuatro navíos al mando del Capitán Alonso de Ojeda, llevando como piloto mayor a «Maese» Juan de la Cosa, habían fondeado en Jáquimo un puerto natural en el que abundaba el valioso «Palobrasil», el cojo Bonifacio se aferró desesperadamente a la remota esperanza de que el de Cuenca lograría convencer a Ingrid Grass de que regresar a Europa constituiría un error de fatídicas consecuencias.

Por desgracia, Jáquimo se hallaba enclavado en el occidente de «La Española», en pleno corazón del territorio controlado por los rebeldes, lo que a los ojos de todos pareció venir a significar que Ojeda y de la Cosa se ponían de parte de Francisco Roldán en el enfrentamiento que éste mantenía con los Colón.

No era así, en absoluto, ya que el altivo Ojeda se negó de inmediato a aceptar órdenes del traidor ex alcalde, quien incluso intentó tenderle una emboscada de la que únicamente consiguió librarse gracias a su portentosa habilidad con la espada, haciéndose fuerte a continuación a bordo de sus naves.

Se dio, por tanto, el curioso caso de que Ojeda se convirtió en dueño del mar, el Virrey del oeste de la isla y los rebeldes del este, sin que Colón aceptase la presencia de su antiguo lugarteniente en Santo Domingo, ya que se sentía ofendido por el hecho de que los Reyes le hubiesen concedido autorización para explorar un Nuevo Mundo que continuaba considerando de su exclusiva propiedad.

Ojeda y «Maese» Juan de la Cosa, por su parte, no tenían el menor interés en mezclarse en luchas como una simple toma de contacto encaminada a regresar a España con argumentos suficientes como para convencer a la Corona de que se les permitiese iniciar sin más dilación la conquista de los territorios que acababan de explorar en Tierra firme.

Pero, para conseguirlo, se hacía imprescindible obtener «Palobrasil» con que cubrir los gastos de una costosísima expedición en la que no habían tenido suerte con el oro.

Pasaba, no obstante, el tiempo sin que los secuaces de Roldán les permitiesen poner pie en tierra para cargar con tranquilidad la ansiada materia prima que tanto estaban necesitando, y se daba el triste caso de que —al igual que ocurriera en su día con el malhado «Fuerte de la Natividad»— el escaso número de españoles que compartían la isla se encontraban de nuevo divididos, no ya en dos, sino incluso en tres facciones aparentemente irreconciliables.

Ojeda y Juan de La Cosa no podían, por tanto, acudir a Santo Domingo a visitar a su buena amiga *Doña Mariana Montenegro*, y por su parte ésta no se atrevía tampoco a viajar a Jáquimo, dado que tal acción la enfrentaría al Virrey a la par que se arriesgaba a caer en manos de un Roldán al que consideraba muy capaz de ahorcarla, tal como había prometido.

Así de confusas estaban por tanto las cosas cuando, la víspera de Navidad, y en el momento en que Bonifacio Cabrera acudía como casi siempre a buscar a Haitiké a la puerta de la taberna de «Los Cuatro Vientos», un andaluz ceceante que permanecía sentado en un rincón del porche, se le aproximó con disimulo para musitar en un tono de voz apenas perceptible:

—Dile a tu ama que el Capitán Ojeda la estará esperando en la playa de Barahona con la próxima luna llena.

El renco le observó de arriba abajo con innegable desconfianza:

—¿Quién eres, y por qué he de fiarme de ti?

—Soy un amigo, y el Capitán me ordenó que te enseñara esto... ¿Lo reconoces?

El gomero asintió de inmediato, ya que se trataba del enorme escapulario de la Virgen del que Alonso de Ojeda raramente solía separarse, y que había tenido ocasión de contemplar infinidad de veces cuando, tanto tiempo atrás, el de Cuenca solía acudir a la granja en «Isabela».

—Está bien —admitió—. Allí estaremos.

El andaluz desapareció de inmediato en las tinieblas y Bonifacio Cabrera lanzó un suspiro de esperanza mientras tomaba de la mano al chiquillo y emprendía feliz el camino de regreso a la casa.

Una semana más tarde, última del año de gracia de 1499, final de un siglo y tal vez de toda una época, ya que a partir de aquel momento se iniciaba en verdad la auténtica exploración y conquista de un cuarto continente, *Doña Mariana Monenegro* aguardaba sentada sobre una roca, no lejos de la actual ciudad de Barahona, a que con la primera claridad, que impartía una inmensa luna llena, un silencioso bajel se aproximara viniendo del oscuro navío que apenas se vislumbraba fondeado mar afuera.

El encuentro con el viejo y querido amigo al que tanto había echado de menos fue emocionante, y durante largos minutos se limitaron a observarse casi como dos enamorados, tratando de descubrir el uno en el otro las huellas que el paso del tiempo había dejado en sus facciones.

—Continuáis siendo la mujer más hermosa a ambas orillas del océano —señaló Ojeda, por último, plenamente convencido de lo que decía—. Y entiendo ahora que el pobre Capitán de Luna no pueda resignarse a vuestra pérdida... ¿Sabíais que me tuvo toda una noche trepado a un taburete?

—¿Cómo es eso? —se sorprendió ella—. Contadme.

El de Cuenca lo hizo con tanta gracia y falta de rencor, que Ingrid no pudo por menos que reír de buena gana, aun a sabiendas de que aquel relato venía a confirmar el temor de que su ex esposo jamás cejaría en su venganza.

—¿Volverá? —quiso saber al fin.

—Temo que sí —fue la sincera respuesta—. A partir de aquella noche traté de aproximarme a él, ganar su confianza y hacerle comprender lo cerril de su intransigencia, pero debo admitir que fracasé. Su odio es del todo irracional, y su testarudez tan sólo comparable a la de nuestro buen amigo el Almirante.

—Lo siento —señaló la alemana—. Y sentiré que por tercera vez atraviese el océano inútilmente. Cuando llegue me habré ido.

—¿Ido? —se repitió Ojeda visiblemente alarmado—. ¿Adónde?

—A Europa. Probablemente a Munich.

—¿Por qué?

—Es largo de explicar y no viene a cuento. Perdí la ilusión, y este lugar y esta vida ya no me ofrecen nada que compense quedarse.

—Lamento oírlo.

—Y yo lamento decirlo, pero así es.

El pequeño capitán, famoso por haber vencido en más de cien duelos e incontables batallas, pero que veneraba a la Virgen y demostraba siempre una exquisita sensibilidad impropia de un soldado de sus características, permaneció largo rato pensativo, dio unos pasos aproximándose al borde del agua, y regresó por último para plantarse frente a su amiga y observarla con extraña fijeza.

—Me habéis puesto en una difícil tesitura —dijo—. Os aprecio como a pocos seres en este mundo, y ansío vuestra felicidad casi tanto como la mía, porque me consta que sois una de las criaturas más nobles que existen sobre la tierra. Por ello no sé qué hacer ni decir en un momento como éste.

—No hagáis ni digáis nada —señaló con afecto—. Yo os entiendo porque también os aprecio, pero al fin y al cabo, poco influirían sobre mí vuestras palabras.

—Lo dudo.

—Mi decisión está tomada.

—Lo sé —admitió él—. Por eso me pregunto si tengo algún derecho a cambiar el rumbo de vuestra vida.

—Sólo yo puedo cambiarlo.

—Y yo, Señora. Y yo... —sentenció el de Cuenca con voz ronca. Luego, tras una nueva pausa, y como luchando consigo mismo, consciente de la responsabilidad que estaba echándose encima, añadió—: Sabed, Señora, que durante este último viaje, De La Cosa y yo exploramos las costas de un hermosísimo país al que sus habitantes llaman Coquibacoa; un lugar en el que deseo establecerme para siempre, cristianizando a sus habitantes, y fundando ciudades en las que «indios» y castellanos seamos en verdad iguales, y no como aquí, donde todo se ha corrompido sin remedio.

—Lo haréis —admitió ella con naturalidad—. Os conozco y sé que lo conseguiréis, pero os repito que eso ya nada tiene que ver conmigo.

—Sí que tiene —insistió el otro—. Durante nuestra larga singladura topamos con un gigantesco golfo en cuyas aguas se asienta un precioso pueblo construido sobre pilares, al igual que en Venecia, por lo que lo bauticé con el nombre de «Pequeña Venecia» o «Venezuela» —hizo una última pausa y por fin se lanzó de lleno a lo que al parecer temía mencionar—: Un día llegó una canoa procedente de un poblado vecino y sus tripulantes no se sorprendieron al vernos puesto que hace poco más de un año una mujer negra y un gigante pelirrojo convivieron con ellos para continuar luego hacia las montañas del sur de donde nunca regresaron.

Ingrid Grass, que había escuchado sin pestañear siquiera, inquirió serenamente:

—¿Estáis pretendiendo hacerme creer que *Cienfuegos* vive?

—Estoy pretendiendo deciros, Señora, que, o mucho me equivoco, o hace un año aún vivía.

La alemana avanzó hasta la orilla del agua, meditó largo rato y, al fin, volviéndose sin prisas, contempló fijamente a su pequeño amigo.

—¡Está bien! —admitió—. Es posible que *Cienfuegos* viva y viva con una negra, pero yo no estoy dispuesta a esperarle siete años más.

Ojeda pareció sorprenderse:

—Mucho habéis cambiado —señaló.

Doña Mariana Montenegro negó con firmeza:

—No. No he cambiado. Es que esta vez iré a buscarle.

Madrid-Lanzarote, abril 1989

LIBRO CUARTO:

MONTENEGRO